Emma Darcy

MAIS UMA
NOITE...

ROMANCES ❧ NOVA CULTURAL

Título original: The secret mistress

Tradução: Nancy de Pieri Mielli
Editor: Janice Florido
Chefe de Arte: Ana Suely Dobón
Paginador: Nair Fernandes da Silva

EDITORA NOVA CULTURAL LTDA.
Rua Paes Leme, 524 - 10º andar
CEP: 05424-010 - São Paulo - Brasil

Copyright para a língua portuguesa: 1999
EDITORA NOVA CULTURAL LTDA.

Fotocomposição: Editora Nova Cultural Ltda.
Impressão e acabamento: Gráfica Círculo

CAPÍTULO I

Luís Angel Martinez encontrava-se no elevador do hotel a caminho de sua suíte. Estava satisfeito. A viagem para La Paz fora um sucesso. Acabava de fechar um negócio que traria ainda mais lucros para as empresas de sua família da qual era representante. O jantar fora soberbo. Para encerrar seu dia com chave de ouro, o repentino tumulto que se estabelecera na cidade fornecera a desculpa perfeita para que faltasse a sua própria festa de noivado.

Realmente, aquele fora seu dia de sorte. Mesmo que fosse considerada a mulher mais rica e poderosa da Argentina, sua mãe não conseguira evitar que uma crise política fechasse as fronteiras de La Paz, impedindo que o filho a deixasse.

Um sorriso se estampou no rosto moreno.

Havia duas mulheres além de Luís Angel Martinez no elevador. Eram jovens e elegantes. O sotaque e o estilo de roupas denunciavam a origem americana. E os olhares que lhe dirigiam eram sugestivos. Ao perceber que estava sendo encarado como um possível flerte, Luís sentiu o sorriso desaparecer de seus lábios.

Desprezava as mulheres que não sabiam olhar para um homem sem manifestar interesse sexual. Em especial turistas estrangeiras. Odiava ser considerado um provável amante latino.

A culpa, em parte, era de sua aparência física: pele morena, olhos castanhos e cabelos pretos. A herança espanhola

5

era a grande responsável por esses traços e também pela altura avantajada. O corpo de compleição atlética tornava-se uma atração a mais.

O elevador parou e as mulheres se prepararam para sair. Luís ficou olhando enquanto elas se afastavam. Eram loiras. Seus cabelos não eram tão claros e brilhantes como os de Shantelle, mas suas mentes talvez encerrassem os mesmos pensamentos com relação à escolha de um nativo que lhes proporcionasse uma nova e excitante experiência carnal.

Comigo não, señoritas, Luís pensou com sarcasmo e tornou a sorrir ao ver a porta do elevador fechar e continuar o trajeto rumo a um andar mais alto.

Ao menos em um ponto sua mãe estava certa. Se tivesse de se casar, seria melhor escolher alguém de sua própria raça, cultura e camada social. Não era uma garantia de felicidade, mas certamente evitaria algumas surpresas.

Elvira Rosa Martinez, contudo, não tivera como prever aquela pequena e inesperada viagem à Bolívia. Ou não teria planejado uma festa onde pretendia anunciar o noivado de seu filho com a filha do segundo maior empresário da Argentina.

Circunstâncias inevitáveis! Uma desculpa absolutamente perfeita!

Ao entrar em seu quarto e fechar a porta, Luís sentia-se bem-humorado como não acontecia havia tempos. Ninguém poderia duvidar da impraticabilidade de sua viagem. Sua permanência em La Paz era algo que não dependia de sua escolha. Seria impossível tentar sair da cidade. Após a passeata realizada pelas ruas centrais no dia anterior por grupos de fazendeiros e de homens do campo, a Bolívia estava fervilhando. Uma nova troca de governo parecia iminente. O aeroporto estava fechado. O toque de recolher havia sido estabelecido. Os militares haviam tomado a cidade.

Hospedado com conforto e segurança em um dos melhores hotéis da cidade, Luís não se queixava. O estado conturbado em que se encontrava a Bolívia não o perturbava. O próprio povo já deveria estar habituado às drásticas mudanças de governo. A história já havia registrado cinco mudanças em um único dia. O tempo colocava tudo de volta ao normal. A situação política se normalizava e a vida prosseguia.

Luís dirigiu-se ao pequeno bar instalado na sala da suíte e serviu-se de um drinque. Poderia ser champanhe. Havia, afinal, muito o que comemorar.

A idéia de um brinde o fez pensar que o cancelamento da festa de noivado acarretaria a organização de uma outra festa. Não se importava. Mas faria questão de ser ele a planejá-la da vez seguinte. Principalmente com respeito à data.

A quem estava tentando enganar? Seria apenas um caso de adiar o inevitável. Estava com trinta e seis anos de idade. Não era mais um garoto. Precisava pensar em casamento e em uma família. Por outro lado, também estava na hora de sua mãe entender que ele havia crescido e que ela não deveria se intrometer tanto em sua vida.

A imagem de Elvira Rosa Martinez se formou ante seus olhos. Ela deveria estar furiosa por se ver obrigada a adiar o anúncio da maior de suas ambições: unir a fortuna dos Martinez à dos Gallardo.

Cláudia Gallardo fora a escolhida por ela. A idéia surgira logo após a morte de Eduardo, seu primogênito. Como Luís o substituiria na direção das empresas, era importante que se casasse.

As qualidades de Cláudia eram numerosas, segundo sua mãe. Ela o agraciaria com sua beleza. Além disso, Cláudia reunia as virtudes tradicionais de uma jovem esposa. Por sua pouca idade, ainda não tinha traquejo social, mas isso se resolveria no momento oportuno.

Luís sentiu que a imagem de sua mãe estava se transformando no rosto de uma outra mulher. Primeiro, ele viu um par de olhos verdes e feiticeiros. Depois o rosto inteiro de Shantelle, a única mulher por quem se apaixonara e a única que o desprezara.

Despejou algumas gotas de limão e três cubos de gelo em um copo e acrescentou uma dose de aguardente. Tomou um gole e estalou a língua. Não queria pensar em Shantelle Wright. Ela não fazia mais parte de sua vida. Por causa dela, ele havia perdido a capacidade de amar e sua mãe se aproveitara de seu desânimo para lhe impôr uma noiva de sua escolha.

Agora não se importava mais.

As dúvidas o haviam assaltado algumas vezes. E se Cláudia não conseguisse satisfazê-lo depois das experiências incríveis que tivera com Shantelle? Mas, se ela também havia matado sua paixão, de que adiantaria ter uma companheira de cama disposta ao sexo? Ou alguém que não se interessava pelo prazer?

Sua mãe estava certa. Cláudia Gallardo não lhe traria surpresas. Era uma jovem de seu nível social e o queria como marido. Suas fortunas seriam incalculáveis no futuro. E eles teriam filhos. Quando tivessem uma família para cuidar, ficariam unidos pelo mesmo propósito. Talvez até viessem a se amar.

Assim mesmo, era diferente se resignar à vida traçada pelo destino a ser pressionado por alguém a seguir por um caminho.

Não era mais o adolescente rebelde de anos passados. Ele havia crescido e assumido as responsabilidades que teriam cabido a Eduardo, seu irmão mais velho, se ele ainda vivesse. Isso não significava, porém, que sua mãe se achasse no direito de comandar seus passos.

A verdade era que Luís estava adorando a proibição imposta pelas autoridades bolivianas à saída da população e dos estrangeiros do país.

Cláudia certamente estava a sua espera, submissa. Ela era submissa em todos os aspectos. Às vezes, Luís cogitava se aquela atitude não era falsa. Poderia ser uma máscara. Uma tática para que ele se sentisse o dono do poder, o rei.

Mas e daí? Qual seria o mal se a esposa respeitasse suas vontades? Se vivesse para agradá-lo?

A bebida estava gelada em suas mãos. Tomou outro gole. Doce e azeda. Como a vida, Luís pensou.

O telefone tocou naquele instante e ele se dispôs a atendê-lo, embora a contragosto. Tinha quase certeza de que ouviria a voz de sua mãe do outro lado da linha. Não seria de admirar se ela já tivesse encontrado meios de retirá-lo de La Paz.

— Alô?

— Luís — disse uma voz de homem —, é Alan Wright quem está falando. Por favor, não desligue. Demorei horas para localizá-lo e estou precisando de sua ajuda.

A súplica sufocou o que teria sido uma reação automática, ou seja, bater o telefone. Ele não queria ter nenhum contato com qualquer pessoa que estivesse ligada à mulher que o tratara sem a menor consideração. Mas a curiosidade, ou, talvez, o espírito humanitário, foi maior do que o orgulho ferido.

— Que tipo de ajuda? — perguntou, zangado consigo mesmo por sua fraqueza.

— Estou detido em La Paz com um grupo de turistas. Deveríamos ter retornado ontem a Buenos Aires. Ninguém sabe informar quando o aeroporto será reaberto. As pessoas estão assustadas. Algumas já entraram em pânico. Outras estão sofrendo os problemas causados pela altitude. Preciso de um ônibus para retirá-las daqui. Tenho condições de dirigir um. Mas preciso de você para obtê-lo.

Um ônibus.

As lembranças do passado voltaram com força. Quando conhecera Alan, ele dirigia um ônibus velho que atravessava uma parte da floresta amazônica. A Argentina, naquela época, estava vivendo uma fase conturbada, e ele fora enviado ao Amazonas para cuidar das minas de sua empresa.

Alan permaneceu na função, que incluía a manutenção do veículo, por seis meses. Após essa experiência, ele resolveu abrir uma agência de turismo em sua cidade natal, Sídnei.

Australiano de nascimento, mas sul-americano de coração, ele se especializou em viagens à América do Sul, em especial a Argentina.

Os primeiros pacotes, oferecidos por sua agência, se restringiram a viagens com hospedagem em acampamentos.

Pouco a pouco, Alan se embrenhou em excursões mais caras e mais distantes.

Luís o admirava por sua tenacidade e iniciativa. Alan fora um bom amigo. Seu humor era invejável. A amizade durara nove anos. Teria durado para sempre se Alan não lhe tivesse apresentado a irmã.

— Shantelle está com você?

A pergunta soou ríspida. Alan não respondeu.

— Ela está com você? — Luís insistiu.

— Droga, Luís! Eu pagarei pelo ônibus. Você não pode apenas conseguir um para mim? — Alan protestou, irritado.

Ela estava com ele.

A explosão que se desencadeou no interior de Luís não era conseqüência apenas de seu orgulho. Todas as células de seu corpo pareciam ter sido atingidas por uma descarga elétrica. O sangue se carregara de adrenalina. Por mais que desejasse negar, ainda não havia conseguido esquecer a mulher que o tratara como um simples objeto sexual.

— Onde vocês estão? — Luís quis saber.

— No Europa Hotel. — A informação soou carregada de esperança. — Ou seja, é só você virar a esquina.

— Muito conveniente — Luís ironizou. — Seu grupo consiste de quantas pessoas?

— Trinta e duas comigo.

— Acho que não será difícil conseguir um ônibus adequado.

— Genial!

— Ele poderá estar em seu hotel pela manhã.

— Eu sabia que você não me deixaria em apuros — Alan murmurou, obviamente aliviado.

— Eu resolverei todos seus problemas — Luís prometeu —, mas com uma condição.

Alan hesitou.

— Qual condição?

Luís não estava preocupado com os sentimentos de Alan. A amizade entre eles havia acabado da mesma forma que terminara seu relacionamento com Shantelle. Luís não estava disposto a facilitar. Não queria mais ser usado. Como proprietário de uma pequena agência de turismo, afinal, Alan poderia estar interessado apenas em conseguir favores de Luís Angel Martinez, o poderoso empresário.

Em sua posição, ele podia abrir portas para Alan, mas também fechá-las.

— Quero que Shantelle me procure em minha suíte, no Plaza, para negociar o acordo — Luís declarou. — O quanto antes, para nossa mútua conveniência.

— Você não está falando sério! — Alan exclamou. — A cidade está em polvorosa. Há tanques e soldados por toda parte. Uma mulher sozinha não pode andar pelas ruas e ignorar o toque de recolher. É perigoso demais.

Tão perigoso quanto tentar tirar um grupo de turistas de ônibus do país, Luís pensou. Os revoltosos estavam bloqueando todas as estradas. Alan deveria estar arquitetando um plano para retirar aquelas pessoas em segurança. Talvez conhecesse elementos em condições de liberá-los, ou dispostos a aceitar gordas propinas.

Ele, porém, não estava aberto à negociações. Queria Shantelle. Apenas Shantelle.

— Você poderia acompanhá-la — Luís sugeriu. — Nossos hotéis são praticamente vizinhos. A distância é curta. E esta rua, que eu saiba, não faz parte da praça de guerra. Não há soldados em postos de vigia, nem tanques.

— Não posso me afastar do grupo — Alan explicou. — Nem Shantelle. As mulheres precisam dela...

— O Plaza conta com uma entrada lateral à rua 16 de Julho — Luís prosseguiu como se não tivesse ouvido as últimas palavras de Alan. — Haverá alguém a postos para abrir a porta para Shantelle. Espero-a em trinta minutos.

Luís desligou com um gesto firme. Havia um sorriso em seus lábios enquanto ouvia o tilintar dos cubos de gelo dentro do copo que girava com uma das mãos.

Quando uma responsabilidade era delegada, muitas vezes significava a tomada de um caminho que, de outra maneira, não teria sido o escolhido.

Era o que acontecia com ele. Por ser um Martinez, um dia acabaria se casando com Cláudia Gallardo. E por ser irmã de Alan Wright, Shantelle acabaria passando aquela noite em sua cama!

CAPÍTULO II

Shantelle notou que o irmão estava contrariado ao desligar o telefone. Ou melhor, ele parecia furioso ao bater o telefone.

— O que disse Luís Angel? — Shantelle indagou com a respiração suspensa. Pela conversa, conseguira adivinhar que Luís aceitara a incumbência de lhes fornecer um ônibus. Algo que para alguém em sua posição não deveria ser difícil. Os Martinez tinham negócios importantes em vários países, inclusive na Bolívia. Seus interesses se espalhavam por diversas áreas: agricultura, mineração, petróleo, gás, cimento e transporte, entre outras.

— Deixe para lá — o irmão respondeu ao mesmo tempo que balançava a cabeça. — Tentarei outra saída.

Não havia alternativa. Shantelle olhou para os papéis espalhados sobre a mesa. Alan e ela estudaram todas as possibilidades e chegaram à conclusão de que nenhuma era viável.

Ele se levantou e se pôs a andar de um lado para o outro. Estavam ocupando uma suíte espaçosa do Europa, um hotel cinco estrelas recém-inaugurado que concordara em ceder algumas acomodações por um preço promocional a essa excursão.

Após a proibição de partirem, contudo, a luxuosa suíte estava parecendo uma prisão. E acontecia o mesmo com o grupo. Ninguém conseguia se divertir, ninguém sentia prazer com nada. A ansiedade e o medo haviam substituído os risos. Tudo o que queriam era voltar para suas casas.

Alan tinha como lema evitar ser portador de más notícias aos clientes. Era um profissional experiente e costumava enfrentar com frieza os obstáculos que porventura surgiam. Suas habilidades e raciocínio rápido o estavam tornando um bem-sucedido operador na área do turismo.

Dessa vez, porém, ele encontrou todos os caminhos bloqueados. E não era homem de cruzar os braços e se conformar com o infortúnio.

Como Luís Angel Martinez, Shantelle pensou.

Seu irmão e Luís eram muito parecidos. A amizade que os unia era forte. Era do tipo que não acabava por causa de empecilhos como tempo, distância e padrões sociais. Não se encontravam com freqüência, ao contrário. Mas os períodos de separação não faziam diferença, por mais longos que fossem.

Uma amizade de nove anos...

Uma onda de culpa engolfou-a. Por causa dela, por causa de sua tolice, eles se afastaram. O irmão estava certo quando a preveniu de que sua ligação com Luís não daria certo. Mas ela se recusara a ouvi-lo, recusara-se a encarar a realidade. Até que Elvira Rosa Martinez a obrigara a abrir os olhos e a escutar. Naquele instante, seu orgulho ficou tão ferido que não teve condições de perceber que sua brusca saída da vida de Luís poderia prejudicar sua amizade com o irmão.

Alan jamais se queixou ou acusou-a das conseqüências de sua decisão. Mas ela soube da verdade por meio de Vicky, a esposa de Alan. A cunhada estava conversando com um dos funcionários da agência e lhe passou a informação de que eles haviam tido o ingresso proibido nos territórios dos Martinez.

A excursão de um dia de Buenos Aires ao rancho, que era uma das mais lucrativas, foi a primeira a ser cortada.

Patrício, o irmão caçula de Luís, também não quis mais continuar se relacionando com eles.

Quando encontrou uma oportunidade para falar a sós com a cunhada, Shantelle se apressou a pedir detalhes sobre o assunto. Não esperava que a explicação fosse arrasá-la.

— O que esperava, Shantelle, após fazer o que fez com Luís? Que ele mantivesse a sociedade? Alan é seu irmão. Luís certamente não quer ter mais nada a ver com ninguém desta família.

Shantelle mordeu o lábio. Alan era dez anos mais velho do que ela, mas isso não diminuía a semelhança entre eles. Ambos eram loiros e tinham a mesma estrutura óssea, os mesmos traços fisionômicos. O nariz e o queixo eram idênticos. Os lábios de Alan eram um pouco mais finos, porém, e os olhos não eram tão verdes. De acordo com a luminosidade, tornavam-se cor de avelã.

Após o que acontecera, Luís praticamente encerrara sua amizade com Alan. Vê-lo significaria ser lembrado a cada instante de sua irmã.

Na época, Shantelle não se importara em ferir o orgulho de Luís. Não imaginara que sua atitude se voltaria contra ela mais tarde. E estava acontecendo, pelo que dizia sua intuição.

— Você estava falando com Luís a meu respeito — Shantelle insistiu.

Alan concordou em parte.

— Ele perguntou sobre você.

— Foi mais do que isso — Shantelle murmurou. A ligação fora interrompida abruptamente, logo depois de Alan dizer que seria perigoso para uma mulher desobedecer ao toque de silêncio. — Conte-me, Alan.

— Esqueça! — o irmão ordenou.

— Quero saber. Tenho o direito de saber. Sou tão responsável por esse grupo de excursionistas quanto você.

Alan interrompeu os passos e encarou a irmã com raiva e frustração.

— Não permitirei que minha única irmã se sacrifique por ninguém!

Shantelle entendeu. Luís havia transformado o que seria um favor de negócios em algo pessoal. Muito pessoal. Por culpa dela, mais uma vez.

Seus nervos estavam em frangalhos. Ela respirou fundo para tentar se acalmar. Aquilo estava passando do limite. Não era justo. Alan não podia ser envolvido em uma questão de orgulho. Muito menos o grupo que confiara neles e que dependia deles para sair daquela situação.

— Não sou uma criança indefesa, Alan. Tenho vinte e seis anos e sou capaz de cuidar de mim mesma — Shantelle declarou.

— Oh, sim. Eu vi como foi capaz de cuidar de si mesma, dois anos atrás, quando me persuadiu a deixá-la se envolver com Luís.

— Isso já passou. Posso lidar com ele agora — Shantelle se defendeu.

— Se tivesse passado, não teria se recusado a fazer esta viagem à América do Sul. No início, você não queria, lembra-se? Só está aqui porque Vicky ficou doente no dia anterior à partida.

As faces de Shantelle ficaram coradas.

— Trabalhamos juntos, não trabalhamos? Estou aqui para ajudá-lo. E se for preciso ir até Luís para resolver o problema, eu irei.

— Não, você não irá!

— Você já tentou tudo, Alan — Shantelle retrucou. — Luís Martinez era sua última cartada. Há dois anos, ele já teria mandado o ônibus para a porta deste hotel. Fui eu quem acabou com a amizade de vocês. Sou eu quem precisa encontrar um meio para tirarmos essas pessoas do país.

Alan ainda tentou dissuadi-la da idéia. Mas Shantelle manteve-se firme.

Nada a deteria. Nem a contrariedade de Alan, nem o

toque de recolher, nem o perigo, que, aliás, não a preocupava. A distância entre os dois hotéis era pequena.

Sua vida tornara-se um eterno pesar desde sua separação de Luís. A saudade a corroera dia após dia. Se Luís queria vê-la, ela o veria. Talvez o resultado fosse bom. Ao menos resolveria o problema do ônibus. Devia isso a Alan.

CAPÍTULO III

Na segurança de sua suíte no hotel, ao lado do irmão, fora fácil decidir, mas à medida que se aproximava do local do encontro, Shantelle sentia a coragem lhe faltar.

Não havia esquecido Luís. Duvidava que esse dia fosse chegar.

Fazia alguns minutos que descera do elevador. O coração parecia querer saltar do peito. O estômago estava dando reviravoltas. Embora caminhasse devagar, a respiração estava acelerada como se tivesse corrido.

Parou por fim diante da porta de Luís, tomou fôlego, e bateu.

Precisava esquecer o passado, precisava controlar sua vulnerabilidade e pensar que aquele encontro fora exigido não pelo homem, mas por seu ego ferido. Luís queria ter a satisfação de dizer que a perdedora acabara sendo ela, não ele.

Shantelle obrigou-se a aceitar o que viesse pela frente. Não podia se esquecer de que estava ali para cumprir uma missão. Precisava conseguir um ônibus, custasse o que custasse.

Seria uma visita de negócios, pensou. Estava até vestida para isso. Usava uma calça jeans tipo *bag*, com bolsos, tênis e uma camiseta vermelha com o logotipo da empresa *Amigos Tours*.

A porta foi aberta. E lá estava Luís, em carne e osso. Os cabelos pretos e ondulados estavam penteados para trás, como de costume, em um estilo que realçava seu rosto atraente. Uma aura de vitalidade o envolvia. Os olhos escuros e profundos chegavam a ser magnéticos.

Shantelle não foi capaz de se mover, nem de falar. Sua determinação em não perder o controle foi esquecida. Um arrepio lhe percorreu o corpo. A pulsação acelerou.

Ainda queria aquele homem.

— Seja bem-vinda desse lado do mundo.

A voz de Luís a trouxe de volta ao presente e ao motivo que a levara a sua presença. Não era mais a voz que ela tanto amara. Não havia mais ternura, nem calor, nem intimidade em seu tom. O sorriso desmentia as palavras. A boca de lábios carnudos que muitas vezes a beijara com paixão, agora apresentava traços de ironia. Os olhos escuros que antes brilhavam com a intensidade de sentimentos, agora pareciam de aço.

Se algum dia ela se deixara embalar pela esperança de que o amor deles pudesse ser revivido, essa esperança se perdeu. A julgar pela atitude de Luís, não havia esperança nem sequer de um entendimento entre eles.

Ele se afastou para que ela entrasse e fez um sinal lhe oferecendo seus domínios.

Perdida entre o passado e o presente, Shantelle viu em um relance um pedaço da floresta amazônica dentro da suíte.

— Está com medo de mim? — Luís zombou.

Aquela frase a fez reagir.

— Não. Por quê? Deveria estar?

— Dizem que os amantes latinos são volúveis — ele insistiu na zombaria.

— Já passou muita água sob essa ponte, Luís — Shantelle respondeu ao mesmo tempo que atravessava a sala com passos decididos, embora continuasse tremendo por dentro.

Ela se deteve junto à janela. A vista de La Paz à noite era esplêndida. Pena que não conseguisse vê-la. Estava distraída demais com seus pensamentos e com seu propósito de esquecer o romance que um dia vivera com Luís.

— Continua tão dinâmico como antes — Shantelle declarou de repente em uma tentativa de promover a paz. — Eu diria que a vida tem sido boa com você.

— Poderia ser melhor — Luís respondeu e sorriu, malicioso, quando ela se afastou ao perceber que ele estava tentando se aproximar.

— Você já deve estar casado — Shantelle murmurou, não por curiosidade ou ciúme, mas para erguer uma barreira entre eles.

A camisa branca estava aberta no pescoço de forma que Shantelle pôde ver a pele morena e os tufos de pêlos pretos que cobriam os músculos do tórax. As mangas estavam enroladas até os cotovelos. Sem perceber, Shantelle fechou os olhos. Não queria imaginar aquelas mãos acariciando outra mulher.

— Não. A bem da verdade, não sou casado.

As palavras frias e duras a atingiram como se fossem pregos. Teria cometido um erro?

Incapaz de respirar, Shantelle voltou para a janela e permaneceu de costas para Luís. Sentia que as faces estavam quentes. Não queria que Luís a visse naquele estado.

Ele devia estar mentindo! Estava prometido a outra mulher, uma rica herdeira, muito antes de se conhecerem. Luís a enganara. Talvez não fisicamente, mas por omissão. Deixara que ela se iludisse, acreditando que era a única mulher na vida dele. Mas a concorrência era pesada. Consistia em duas mulheres, não apenas uma.

Elvira Rosa Martinez não podia ser ignorada.

Nem Cláudia Gallardo, a jovem linda, fina e doce que estava destinada a ser sua esposa.

Como poderia competir com suas adversárias poderosas? Aos olhos de Luís, era apenas uma estrangeira com quem ele poderia relaxar e se divertir nas horas vagas.

Não o culpava. Não tinha o direito de acusá-lo, falou consigo própria pela centésima vez. Luís jamais lhe fez promessas.

— Você também ainda deve estar solteira — Luís continuou. — Afinal, está viajando com seu irmão.

Ela estava de costas, mas pressentiu a nova tentativa de Luís de aproximação e se apressou a detê-lo.

— Estou aqui a negócios.

Luís ignorou-a.

— Deixou algum amante a sua espera?

— Não tenho ninguém no momento — Shantelle respondeu sem se voltar.

— Então é por isso que resolveu acompanhar seu irmão?

A vontade de saltar sobre Luís e fazê-lo parar com a provocação quase foi maior do que ela. Para se controlar, Shantelle cerrou os dentes, cruzou os braços e se obrigou a observar as luzes da cidade.

— Parece um lugar de contos de fada — murmurou.

Não era exagero. Estava na capital mais alta do mundo. A impressão que dava era de La Paz ter sido construída dentro de uma cratera da lua.

De seu local de observação, a área central baixa da cidade, as luzes da cidade se erguiam em uma grande curva circular e subiam tanto que pareciam pender do céu. Parecia incrível que houvesse pessoas habitando aquelas paragens.

— Acho que só um mágico poderá tirá-la desse transe — Luís brincou.

Shantelle virou-se abruptamente.

— Precisamos de um ônibus.

— O toque de recolher só termina às seis da manhã.

Shantelle prendeu a respiração. O que Luís estava insinuando? Que eles teriam a noite inteira para negociar?

— Não gosto quando você prende os cabelos — Luís disse em seguida, o que a deixou ainda mais confusa.

Um estremecimento a percorreu da cabeça aos pés ao adivinhar a intenção de Luís. Ele a tocou na nuca e desamarrou, devagar, a fita.

Seria possível que Luís ainda gostasse de seus cabelos? Que ele ainda a quisesse?

Não. Ela não podia se deixar enganar. Luís estava provocando-a de uma forma deliberadamente cruel. A vontade de erguer os olhos e fitá-lo era imensa. Mas o receio

21

ainda maior. Seu orgulho a impedia de ceder. Era essencial que se acalmasse.

Os cabelos já estavam soltos sobre os ombros. A expressão de Luís era de prazer ao lhe tocar os fios. De que jeito poderia manter a calma?

— O que quer de mim, Luís? — Shantelle perguntou sem preâmbulos.

— O mesmo de antes.

O bom senso se perdeu sob a força do desejo. Ela o queria e ele, aparentemente, também queria de volta os momentos de paixão que haviam compartilhado.

A razão tentou prevalecer, dizendo-lhe que Luís estava apenas brincando com seus sentimentos, usando seu poder para subjugá-la.

— A que está se referindo?

Ele separou uma mecha dos cabelos de Shantelle e enrolou-a em seus dedos.

— A ter você mais uma vez. Quero que passe esta noite comigo.

Um calor abrasador a inundou.

Mais uma vez. Mais uma noite. Em troca de um favor a ela, a seu irmão e a um grupo de turistas assustados.

— Não é um preço muito alto, é? Apenas estará me dando o que me dava dois anos atrás para conseguir o que queria.

— Eu não consegui o que queria — Shantelle protestou.

— Não? — Luís repetiu em tom de deboche. — Não correspondi as suas expectativas? Bem, dessa vez, tentarei não desapontá-la. Teremos muitas horas para nos divertir. Prometo-lhe sensualidade e prazer sem limite.

A proposta era cruel e impiedosa. Shantelle se envergonhava de si mesma. Mal podia esperar. Sabia que não teria forças para recusar. Aquelas palavras a faziam vibrar de excitação. Nenhum homem lhe despertara tanto desejo. Nenhum a levara ao êxtase como Luís. Não sentira nem sequer atração física por alguém depois de conhecer Luís.

Fazia dois anos que não era tocada. Não merecia ser tratada daquele jeito.

Sexo. Luís queria apenas sexo. Sem amor. Estava errado. Estava tudo errado.

Shantelle sentiu o coração bater mais depressa quando Luís a atraiu para mais perto, sem lhe soltar os cabelos.

Então, com um sorriso nos lábios e um olhar intenso, ele começou a lhe acariciar os seios.

— Pare com isso! — Shantelle ordenou, zangada consigo mesma por sua reação instantânea ao toque.

Ele continuou.

— Não gosta mais?

A tentação era grande. Os mamilos já estavam rígidos, palpitantes. Na verdade, ela não queria que Luís parasse. Nunca. Mas ele só queria tê-la por uma noite. A menos que...

Um pensamento assaltou-a.

Luís não havia se casado. E ele ainda a desejava. Queria vingar seu orgulho ferido.

E ela também!

— Não sou uma aventureira. Não sou do tipo que aceita passar uma noite com um homem para na manhã seguinte dizer adeus.

— Este é um caso especial — Luís retrucou.

Subitamente, ela resolveu ceder. De nada adiantaria fingir que não o queria. Seria melhor fazer o jogo dele de uma vez.

— Vejamos se eu o entendi bem...

Ela desabotoou o restante da camisa e pôs-se a acariciá-lo no peito e nos mamilos. Não demorou a ouvir os gemidos de Luís. Foram como música para seus ouvidos. Significava que ela também ainda tinha poderes sobre ele.

Fitou-o de maneira deliberadamente provocante nos lábios.

— Se eu concordar em passar a noite com você, Alan e eu teremos nosso ônibus para ir embora da cidade? É este o trato?

— Sim — ele admitiu.

— Então comece a dar os telefonemas, Luís. Quero ouvir suas instruções para que o ônibus esteja à porta do Europa Hotel amanhã cedo, logo que o toque de recolher for suspenso. Assim que esse assunto estiver acertado, avisarei

Alan para que não se preocupe mais e então teremos a noite inteira só para nós.

Shantelle percebeu a contrariedade no modo que Luís estreitou os olhos. Ele não estava gostando do novo rumo que ela dera à situação.

— Espero que não tenha lhe passado pela cabeça a idéia de não cumprir sua palavra, Luís.

Ela ainda não havia terminado a frase e já estava arrependida. O perigo impregnou o ar.

Ele sorriu de uma maneira odiosa. De seu corpo emanava uma vibração irresistível. Com um movimento lento, Luís segurou a mão que ela ainda mantinha sobre o peito musculoso, e a fez deslizar até a virilha.

— Sinta você mesma se estou ou não preparado para lhe proporcionar o que espera.

Shantelle não respondeu. Não poderia mesmo que quisesse. Luís inclinou-se sobre ela e beijou-a na boca. E ela beijou-o também, ansiosa por prová-lo após tanto tempo, e saber se ainda havia alguma chance de reacender a chama da paixão, apesar do orgulho e das diferenças que os separavam.

Abraçou-o e entregou-se por completo ao beijo ao mesmo tempo que pressionava seu corpo contra o dele.

Perdeu-se tanto em sua saudade que a volta à realidade chocou-a.

— Deve estar desesperada por sexo, Shantelle — ele caçoou ao interromper o beijo. — Permita-me cumprir minha parte no trato antes de nos deitarmos.

Ele se afastou em direção ao telefone. Parecia exercer total controle sobre si. Ao contrário de Shantelle que não conseguia parar de tremer.

Amava aquele homem. E odiava-o.

Queria passar a noite com ele. E queria esquecê-lo.

Como seria? Viveriam uma experiência intensa e gratificante? Ou teria seu coração ainda mais partido ao alvorecer?

Ela não sabia. Não tinha forças para ficar e muito menos para se levantar e ir embora.

Luís tirou o fone do gancho, pressionou algumas teclas,

24

disse seu nome com arrogância. Luís Angel Martinez. O único homem que a fazia vibrar de paixão. O único homem que ela queria.

Haveria alguma chance de vitória para Shantelle, se ficasse?

O meio de fuga, ela pensou.

Mas não era isso que importava.

A verdade era que sua decisão de atender a exigência de Luís prendia-se a sua própria vontade. Porque ainda restava um fio de esperança em seu coração de que não seria apenas uma noite.

CAPÍTULO IV

Luís colocou-se de costas para Shantelle e usou propositalmente o *quechua*, o antigo idioma inca, para que ela não entendesse o que estava dizendo. Sentia um prazer perverso em humilhá-la. Tinha certeza de que seu sacrifício em interromper o beijo também valera a pena. Queria que Shantelle sentisse ao menos uma parte da frustração que o assaltara durante aqueles dois anos.

Insegurança, é isso o que ela merece, Luís pensou. Shantelle viera a sua suíte confiante demais em seus poderes sobre ele. Mas antes que a noite terminasse, ela descobriria quem estava no comando. Nesse momento, ele a mandaria embora com a mesma brutalidade que ela o dispensara, dizendo que já havia se fartado da relação e que ele fora para ela apenas uma aventura.

— O ônibus não será problema — Ramon Flores, o gerente da empresa que também fazia parte do império Martinez, garantiu —, mas...

— Mas o quê? — Luís quis saber.

— Seria inútil pedir que um de meus motoristas o conduzisse até seu hotel. Ele seria detido pela polícia e preso por desacato. Os militares proibiram agrupamentos. Três pessoas juntas já são consideradas uma multidão. Sinto muito, Luís, mas é impossível.

Luís franziu o rosto. Não havia pensado naquele aspecto da questão. Por outro lado, não podia se dar por vencido diante de Shantelle Wright. Recusava-se a passar por fraco e ineficiente. Precisava encontrar uma saída.

— Talvez seu amigo australiano possa atravessar o cerco — Ramon sugeriu. — Ele é um estrangeiro. E se está disposto a arriscar a segurança de seus clientes, tirando-os de La Paz, também deve estar disposto a buscar o ônibus pessoalmente. Nós o deixaremos pronto para partir, com o tanque cheio.

Não era o que Alan lhe pedira, mas o que importava realmente era conseguir o ônibus.

— Haverá alguém à espera para entregar o veículo? — Luís indagou.

— O toque de recolher é suspenso às seis horas. Às seis e trinta haverá um homem nos portões.

— Obrigado, Ramon.

— Insisto que isso é uma tolice, Luís.

— Meu amigo não mudará de idéia.

— Lembre-se de que seremos nós quem arcaremos com as conseqüências depois.

— Eu me responsabilizo. Você está apenas cumprindo ordens. Não se preocupe, Ramon.

— Você é quem sabe.

Luís desligou com um suspiro. Ramon estava certo. O empréstimo do ônibus lhe traria grandes problemas. O grupo estava instalado com conforto e segurança no hotel. Suas vidas não seriam alteradas por causa de uns dias a mais de férias, embora forçadas. Não seria melhor ser detido no luxo do que ir parar em uma cadeia ou morrer?

Não havia o que pensar. Se ele se envolvesse naquela história, estaria colocando em risco a reputação dos Martinez. Seria mais tolo do que Alan. Principalmente porque a razão dessa insensatez era uma mulher que o usara e que não merecia nem sequer um minuto de sua atenção.

Fora uma loucura de sua parte deixar-se levar pela tentação de uma vingança. A única saída para ele seria expulsá-la imediatamente de sua suíte e dar-se por satisfeito com a humilhação a que a submetera.

Olhou para Shantelle.

Ela estava emoldurada pela escuridão da noite além da janela. As luzes da cidade brilhavam sobre seus cabelos emprestando-lhe uma aura de mistério. Os cabelos longos pareciam ainda mais claros ao luar e os olhos faiscavam como esmeraldas. Os lábios estavam entreabertos, como ele os deixara, à espera de outro beijo.

Forçou-se a afastar os olhos daquele rosto encantador e examinou a camiseta. Shantelle não tinha coração. Mas os seios eram lindos e estavam se movendo sob o tecido conforme ela respirava.

Não conseguia entender como ainda desejava tanto aquela mulher, se a detestava.

— O ônibus será entregue amanhã de manhã? — Shantelle perguntou.

O assunto era sério para ela, Luís pensou. A perspectiva de passar a noite com ele não a divertia. O que era justo. Ela havia se divertido da última vez. Agora chegara a vez dele.

Poderia se considerar vingado, se a dispensasse naquele instante. Mas qual seria sua satisfação nisso? Oh, não. Ele queria sentir-se saciado *fisicamente* antes de se separarem. Ela não fizera o mesmo?

— Sim.

Shantelle não conseguiu sustentar seu olhar. Parecia tensa. Cabisbaixa, não parava de abrir e fechar as mãos à altura da cintura. Ele as tomou, então, e fez com que Shantelle o tocasse.

Ela respirou fundo. Sem perceber, ele fez o contrário. Parou de respirar à espera de uma reação.

Quando tornou a falar, Shantelle estava novamente cabisbaixa.

— Se você é casado, Luís, eu me recuso a participar desse jogo que você armou.

Luís apertou os lábios. Não, ele não era casado. Por causa dela.

— Se eu tivesse uma esposa, não olharia para nenhuma outra mulher.

O modo como ela o encarou o surpreendeu. Havia fatalidade na expressão, mas nenhum traço de resignação ou de derrota. Ele se sentiu perturbado com a força que aquele olhar traiu. Não era o que esperava. Não era o que ele queria.

— A que horas devo informar Alan que o ônibus estará em nosso hotel? — Shantelle quis saber. — Ele precisa avisar o grupo para que todos fiquem preparados.

Ele precisava contar a Shantelle que Alan teria de buscar o ônibus na garagem, mas o orgulho não permitiu. Se não subjugasse Shantelle aquela noite, continuaria se sentindo humilhado pelo resto de sua vida. Preferia morrer a dar um novo motivo para que Shantelle Wright zombasse dele.

Estava decidido. Mesmo que seu passo pudesse comprometer o nome de sua família, ele iria buscar o ônibus e o levaria até o hotel. Faria qualquer loucura para que Shantelle fosse dela ao menos mais uma vez.

— Às sete, se os militares não o detiverem. Isso está acima de meu controle.

— É claro. Vou dar a notícia a Alan.

Luís acompanhou todos os movimentos de Shantelle enquanto ela falava com o irmão. Ele havia vencido. O gosto da vitória, entretanto, era mais amargo do que doce. Shantelle seria dele. Mas não por inteiro.

Expulsou o pensamento. Tudo o que importava era sua vingança. E ele só ficaria livre do fascínio daquela mulher, quando conseguisse humilhá-la.

CAPÍTULO V

Shantelle sentiu-se invadir pelo pânico. Como diria a Alan que passaria a noite com o homem que roubara seu coração dois anos antes, que a usara a seu bel-prazer, e que encerrara uma amizade de nove anos por raiva quando ela se negara a continuar sendo usada?

Alan não entenderia, por mais que tentasse explicar a ele. Uma noite...

Talvez valesse a pena. Talvez esse encontro a libertasse, a fizesse esquecer Luís Angel Martinez. Ou, por um milagre, renovasse sua esperança de amor.

Ele a desejava. Disso não tinha dúvida. Era nessa paixão que ela estava apostando. E no fato de Luís não ter se casado. Ao menos naqueles dois anos, a herdeira dos Gallardo ainda não havia conseguido conquistá-lo ao ponto de tornar-se sua esposa.

Era difícil acreditar, mas também restava a hipótese de que Elvira Rosa Martinez não conhecia tão bem o filho como imaginava.

— O telefone está a sua disposição — Luís disse com displicência.

Shantelle obrigou-se a andar e a sorrir.

— Não será uma conversa agradável.

— Acha que foi agradável pedir um ônibus quando a cidade está um caos? Fiz papel de tolo.

Ele estava certo. Ambos eram tolos.

Tirou o fone do gancho. Não olhou para Luís, mas sabia

que ele estava perto, que não permitiria que falasse em particular com Alan. Ao contrário. Luís parecia disposto a não perder nem sequer uma palavra da conversa.

Shantelle virou-se de costas para ele assim que a ligação foi completada. Já bastava tê-lo como testemunha das explicações que daria a Alan. Não queria que ele visse o esforço que isso lhe custaria.

— De onde você está falando? — foi a primeira pergunta de Alan.

— Estou com Luís, em sua suíte. Ele conseguiu o ônibus para nós.

— O que pediu em troca?

— Está tudo certo. Pode avisar o pessoal para estar no saguão do hotel às sete horas.

— Você não respondeu minha pergunta — Alan insistiu.

— Ele conseguiu o ônibus, mas não pode garantir sua entrega. Infelizmente, os militares poderão detê-lo.

Um longo suspiro foi ouvido do outro lado da linha. Shantelle visualizou o irmão se levantando e endireitando as costas.

— Se o assunto está resolvido, vou buscá-la. Espero-a na mesma porta por onde entrou, em cinco minutos.

As mãos de Luís pousaram em sua cintura, distraindo-a. Ele estava tão perto que sentia o calor que se desprendia de seu corpo, embora ele só a estivesse tocando com as mãos. Tentou engolir, mas o nó em sua garganta não permitiu. O coração disparou quando Luís começou a desafivelar seu cinto.

— Shantelle?

Ela se forçou a prestar atenção em Alan.

— Não. Nós ainda temos algo para resolver aqui — murmurou.

— Estamos apenas começando — Luís acrescentou ao mesmo tempo que descia o zíper.

Shantelle prendeu a respiração. A qualquer instante, as mãos de Luís teriam vencido a barreira das roupas e estariam acariciando sua pele.

— O que está havendo aí? — Alan perguntou, nervoso.

Shantelle esforçou-se para raciocinar. Precisava encontrar uma resposta. Depressa.

— Vou passar a noite com Luís, Alan — respondeu com dificuldade ao sentir o jeans e a calcinha deslizarem por suas pernas.

— O quê? — Alan gritou.

O choque de Alan não foi nada em comparação com o que Shantelle sentiu ao se ver exposta, vulnerável aos desmandos de Luís. Sua vontade era largar o telefone e tornar a vestir a roupa.

— Estou indo buscá-la.

— Não! — ela pediu. Virou-se para Luís e repetiu a palavra. — Não!

Luís ignorou seu protesto. Ergueu-a e colocou-a sentada sobre a mesa e se pôs a desamarrar os tênis. Shantelle viu-se perdida. Seus pés estavam apoiados nas coxas musculosas de Luís. Estremeceu. Em poucos instantes ele também se despiria. O que devia fazer? Tentar colocar um fim nessa cena?

— Se esse é o preço que ele impôs, eu...

— Alan — Shantelle interrompeu o irmão. — Eu fiz o que você pediu. Agora o problema é entre mim e Luís. É algo pessoal

— Você ficou maluca? Luís se aproveitará de você como antes.

Faltava apenas tirar a blusa para ela ficar totalmente nua. Shantelle estava tão excitada que não conseguia mais pensar, quanto mais falar.

— O problema continuará sendo apenas meu!

— Ele a quer em troca do ônibus, não é?

Ela mal conseguia respirar. Fechou os olhos.

— Faça-me um favor, Alan. Arrume minha mala para que eu não os atrase amanhã. Voltarei para o hotel assim que o toque de recolher for suspenso.

Luís colocou-se entre as pernas de Shantelle. Estava exultante. Ele a teria por toda a noite.

A voz frenética de Alan chegou aos ouvidos de Luís. Ele tirou o fone da mão de Shantelle.

— Fique fora disto, Alan! O assunto entre mim e sua irmã é particular, como ela acabou de dizer.

Alan não teve chance de retrucar. Luís interrompeu a ligação em seguida. E após uma fração de segundo, terminou de despir Shantelle.

Ela estava atordoada pela rapidez com que tudo estava acontecendo e pela falta total de atenção que normalmente acompanhava essa etapa da relação. Olhou para Luís e encolheu-se ao ver que uma máscara de orgulho encobria suas feições.

Não houve tempo para pensamentos nem palavras. Luís a segurou pela cintura e a fez descer da mesa. Em seguida a levou para o quarto, pela mão.

Shantelle não tentou lutar. Estava sem forças. Estava perplexa ao ser tratada como um objeto.

— É aqui que eu te quero — Luís disse com os olhos voltados para a cama. — Onde você gosta de se divertir.

Luís jamais conseguiria esquecer o pouco caso com que Shantelle o tratara. Não suportava a idéia de ter sido apenas um passatempo para ela.

E para ele? Seria apenas uma vingança? Ou Shantelle continuaria sendo a dona de sua mente e de seu coração apesar de tudo?

Prendeu o fôlego quando ela se acomodou na cama e arrumou os cabelos de forma a esconderem os seios.

— Você era um amante magnífico, Luís. Também gostava de se divertir, pelo que me lembro. É uma pena que tenha mudado sua tática de sedução. A brutalidade não pode se comparar às carícias.

Ele sorriu com ironia.

— Você sempre gostou de variar. Vou lhe mostrar que sou capaz de saciá-la de outras maneiras, uma vez que se cansou de meu modo de fazer amor.

— Eu nunca me cansei de você. Sempre que fazíamos amor era muito especial.

Luís franziu o cenho.

— Então resolveu ir embora antes de se cansar.

— Não, Luís. Eu fui embora antes que a verdade desabasse sobre mim.

— Que verdade? — Luís quis saber, sem parar de se despir.

— A vida que você levava em Buenos Aires.

Ele não pareceu se considerar culpado. Nem sequer olhou para ela. Estava ocupado demais em tirar os sapatos e as meias. Só voltou a falar, quando se levantou para descer o zíper da calça.

— Claro. O romance só existiu enquanto estávamos no Amazonas. Quando eu tive de voltar para meu trabalho em Buenos Aires, você não aceitou que eu não pudesse me dedicar a você em tempo integral. Fique tranqüila. Esta noite, você terá toda minha atenção.

A frustração foi mais forte do que Shantelle. Ela queria ferir Luís do mesmo modo que ele a estava ferindo.

— Por quê? Não conseguiu nenhuma outra mulher que o satisfizesse?

As palavras o atingiram. Ela o viu apertar os lábios e estreitar os olhos.

— Considera-se a única para mim?

Luís colocou-se de pé e ficou parado diante de Shantelle por um longo momento. Sorria de modo abominável. Ela estava como que paralisada diante daquele corpo maravilhoso e agressivo.

— Sim, você é especial, Shantelle — ele admitiu. — É por isso que quero ter o seu corpo só para mim, esta noite.

Shantelle sentiu o estômago dar uma reviravolta. Todas as cartas pareciam estar contra ela. Por alguma razão, porém, não conseguia abandonar a esperança.

— Você está se arriscando — Shantelle o desafiou. — Muitas pessoas se viciam em erotismo.

De repente, Shantelle reconheceu uma expressão no rosto de Luís que a fez pensar no homem que conhecera dois anos antes. Uma onda de ternura invadiu seu coração.

— A substância tem de estar ao alcance para causar o vício — Luís respondeu. — Mas eu a terei apenas uma noite. É por isso que quero aproveitar cada minuto.

A declaração ecoou nos ouvidos de Shantelle enquanto sua boca era beijada pelos lábios e pela língua de Luís com a paixão acumulada em dois longos anos.

Um pensamento assaltou-a naquele instante. Talvez devesse ter ficado e enfrentado a mãe de Luís. Talvez ele preferisse abrir mão de sua herança a perder seu amor.

Talvez tivesse sido uma tola ao se deixar levar pelo orgulho e abandoná-lo sem lhe contar sobre as ameaças que recebera. Ela deveria ter lhe dado a chance de escolher.

Agora, após dois anos, o destino estava colocando ao alcance de suas mãos uma nova oportunidade...

Shantelle mergulhou os dedos nos cabelos de Luís e se deixou embriagar pela sensação de posse. Luís lhe pertencia. Não havia outro homem como ele. E ele ainda a queria. O que sentiam era mútuo.

Seus braços foram afastados. Luís os prendeu sobre a cama.

— Esta é *minha* noite, Shantelle.

Ele se inclinou e beijou-lhe os lábios, sem permitir que ela correspondesse. Depois beijou-a na base do pescoço, pressionando os lábios de tal forma que uma onda de calor a invadiu.

Depois, Luís tomou os mamilos e os sujeitou a variados tipos de carícias, deixando-a trêmula de excitação.

Se era daquele jeito que Luís pretendia puni-la, estava pronta para o castigo, Shantelle pensou. Por isso, quando ele soltou um de seus braços, não tentou movê-lo.

Luís era um amante perfeito. As sensações que lhe provocava eram indescritíveis. Naquele instante, ao acariciá-la no centro de sua intimidade, ela sentiu-se à beira do êxtase.

Os últimos vestígios de controle a abandonaram sob o doce castigo. Seus músculos enrijeceram. Estava mais do que pronta para ele. As primeiras ondas de êxtase estavam começando e Luís ainda não lhe havia dado a parte de seu corpo que ela mais queria. Faltava a conexão íntima que os levaria ao êxtase final.

Um gemido escapou de seus lábios.

— Por favor, Luís...

Ele reagiu de maneira inesperada, colocando-a de bruços e abraçando-a pela cintura de modo a posicioná-la para a penetração. Trêmula, Shantelle fechou os olhos. Luís nunca havia feito amor com ela assim. A movimentação era intensa. As sensações se avolumavam em ondas que ameaçavam inundá-la por inteiro.

Cada vez que Luís se afastava, segurava-a com força para que não se movesse e sentisse o impacto da nova invasão, ainda mais profundamente. Era a ênfase à posse. Luís parecia querer estar presente em todas as células de seu corpo.

Ele repetiu o ato tantas vezes que Shantelle perdeu a conta. E embora com uma mão a subjugasse a sua vontade, com a outra ele não parava de acariciar os seios e de manipular os mamilos.

Shantelle não se importou que Luís quisesse dominá-la. O prazer que ele lhe dava era maior do que tudo. Não era importante tampouco que ele não estivesse se preocupando em esperá-la para que alcançassem o clímax juntos. Não, isso não importava. No momento que derramou a essência de sua força dentro dela, Shantelle sentiu uma imensa alegria. Isso Luís não poderia lhe negar.

Quando se deitou para descansar, Luís a levou consigo. Os braços ainda a seguravam, os corpos continuavam unidos. E ela não mais se considerou um objeto de prazer. Estava ocupada demais em sentir que eram outra vez um só.

Luís Angel era seu homem. E ele a queria.

Porém, cada vez que tentava tocá-lo, Luís se recusava. Queria ter o controle absoluto. Ele decidia como, quando e onde acariciá-la.

Pouco a pouco, Shantelle abandonou a esperança de apagarem o passado e de se entenderem novamente.

A relação não estava sendo mútua. Ele não queria que

fosse. Aquilo era apenas uma espécie de orgia sexual, onde ele saciava seu apetite, sem se importar com os sentimentos envolvidos.

A resposta que ela buscava estava diante de seus olhos. Não havia futuro para ela com Luís Angel Martinez.

Essa certeza deu a Shantelle a força necessária para se libertar. Usou braços, pernas e cotovelos. Ouviu-o praguejar, mas não parou. Sem condições de fugir, nua e indefesa, Shantelle correu para o banheiro e trancou a porta.

Luís estava muito enganado se pensara que ela havia concordado em passar a noite com ele por uma troca de favores. Se ela se entregara, a esperança a levara a isso. Mas depois de ter a certeza de que Luís só queria se aproveitar de seu corpo, não permitiria que isso voltasse a acontecer.

CAPÍTULO VI

A súbita mudança de comportamento de Shantelle surpreendeu Luís. Aconteceu sem nenhuma razão aparente. A doce submissão se transformou em uma rejeição explosiva. Ele ficou tão aturdido que precisou ouvir o estrondo da batida da porta para voltar a si e fazer uma rápida retomada de seus movimentos.

Shantelle não havia se queixado nem protestado. Tinha certeza de que não a machucara. Ao contrário. Ela havia aceitado e correspondido a todas suas investidas por mais ousadas que tivessem sido. E ele dera vazão a todo o desejo acumulado durante dois anos.

Por quê, então, Shantelle havia resistido quando ele menos esperava e fugido?

Admitia não ter permitido que Shantelle tecesse sua teia de sedução para atraí-lo. Bastara uma vez. Não seria nunca mais um joguete nas mãos dela. E deixara isso bem claro. Não tinha culpa se Shantelle não acreditara que ele ficaria imune a seus encantos.

Luís fez um movimento de descaso com os ombros. A diversão havia acabado. Paciência. Se Shantelle queria passar o resto da noite no banheiro, o problema era dela. E se pensava que esse comportamento o faria rever sua decisão, ela estava perdendo seu tempo. Além disso, ele já havia conseguido o que queria, e aproveitado cada instante. Estava plenamente satisfeito.

Levantou-se e sorriu consigo mesmo. Shantelle havia implorado. E ele dera o que ela queria. A partir daquela noite, Shantelle pensaria duas vezes antes de tentar brincar com o orgulho de Luís Angel Martinez.

O relógio sobre a mesa-de-cabeceira marcava onze horas e quarenta e sete minutos. Ainda não era meia-noite. E o acordo era que Shantelle passasse a noite inteira com ele. Que ilusão! Aquela fora mais uma das mentiras de Shantelle. Ela era especialista em promessas falsas.

Encaminhou-se para o armário e apanhou o robe que o hotel oferecia aos hóspedes como cortesia. Vestiu-o e amarrou-o na cintura. Em seguida foi para a sala para se servir de uma bebida.

Ao passar pelo banheiro, ouviu barulho de água. Ela estava no banho, tentando eliminá-lo de sua pele. Mas não conseguiria, se a vontade dele valesse. Não seria justo. Por mais que se esforçasse, ele não conseguira esquecer o perfume de Shantelle desde que ela o deixara dois anos antes.

A luz da sala estava acesa. As roupas de Shantelle estavam no chão e ele não fez menção de pegá-las. Passou por elas a caminho do bar e deu um sorriso de triunfo. Shantelle, afinal, não poderia ir a parte alguma sem se vestir. Mais cedo ou mais tarde, ela teria de sair do banheiro e recolher as roupas. Ele não perderia esse momento por nada.

Luís despejou uma dose de uísque no copo e acrescentou alguns cubos de gelo. Tomou um gole e sentiu a boca amarga. Diziam que a vingança era doce, mas não era. Servia apenas para reforçar a certeza de que aquilo que desejamos está fora de nosso alcance.

Ele foi até a janela e olhou para a cidade iluminada. La Paz era linda à noite. Parecia um lugar dos contos de fada, como Shantelle dissera. Exatamente igual a ela, Luís pensou. Uma linda fachada que escondia perigos.

Pela manhã, ele teria de se expôr a esses perigos. Enfrentaria as ruas e tentaria burlar a guarda para entregar o ônibus a Alan. Tudo por causa de um acordo absurdo que fizera por desespero, só para poder ter Shantelle em seus braços mais uma vez.

Uma ilusão. Acontecera tão depressa que ele não tivera chance de saborear a vitória. Porque não havia o que ganhar. Ela não tentara enganá-lo. Não havia amor em seu coração. Ela o queria por sexo apenas. E ele errara em sua suposição de que a expurgaria de seu ser se a tratasse como fora tratado. Experimentara alguns minutos de prazer. De um prazer carnal intenso, sim, mas que aumentara ainda mais sua sensação de vazio.

Tomou outro gole. Queria que a manhã chegasse depressa. Não se importava mais com o perigo que o aguardava nas ruas de La Paz. Seria bom morrer. Se isso acontecesse, talvez, finalmente, pudesse encontrar a paz.

CAPÍTULO VII

Shantelle apagou a luz, girou a maçaneta com extrema delicadeza e abriu a porta com cuidado para não fazer nenhum barulho. Aguçou os ouvidos. O silêncio era total. Prendeu a respiração e deu um passo.

Esperava que Luís tivesse desistido de esperá-la e adormecido. Ficara mais de uma hora trancada no banheiro, tentando se acalmar e apagar todos os vestígios que ele deixara em seu corpo. Lavara até mesmo os cabelos em sua necessidade compulsiva de expulsá-lo de sua mente.

Segurou a borda da toalha, que amarrara ao redor do corpo, com ambas as mãos. Armou-se de coragem e seguiu em direção à sala, onde Luís a despira. As roupas ainda deviam estar lá, amontoadas no chão.

Ele havia deixado as luzes acesas. Viu as roupas de longe.

Calcinha, sutiã, jeans e camiseta. Vestiu as peças o mais depressa que pôde. Não podia perder nem sequer um segundo. Sentou-se ali mesmo, no chão, para calçar as meias e os tênis. Então, sentindo-se mais segura, levantou-se e estava pensando em ir até a janela onde passaria o resto da noite, quando um impulso irresistível de olhar para trás a dominou.

Luís estava parado junto à porta do quarto.

O caos voltou a reinar em sua cabeça. A agitação assumiu o controle. Todos os músculos e nervos de seu corpo enrijeceram. Seus olhos ficaram presos aos do homem que acabara de destruir tudo de bonito que houvera entre eles.

Ele havia assistido toda a cena. Obviamente não ficara satisfeito em humilhá-la apenas na cama.

Era um alívio, porém, vê-lo de robe e não mais despido. Não que isso diminuísse sua apreensão. Embora Luís não parecesse tão arrogante quanto no início da noite, ainda havia um brilho irônico em seus olhos.

— Parece que você desistiu de passar a noite comigo.

— Você já teve o que queria — Shantelle respondeu.

Ele deu de ombros.

— Sim, e não foi bom como eu esperava.

As palavras soaram carregadas de desprezo. Shantelle sentiu o sangue lhe subir às faces.

— Nem para mim.

Luís fez um sinal em direção à porta.

— Fique à vontade para ir embora. Não a prenderei mais aqui.

— Oh, é claro que não! Por certo, espera que eu faça isso para depois dizer que eu rompi nosso acordo e se sentir desobrigado de sua parte!

— Sua permanência aqui tornou-se irrelevante — Luís insistiu. — Se está com medo de andar pelas ruas, por que não liga para seu irmão? Aposto que ele virá correndo ao seu chamado.

— Não! — ela respondeu com veemência. Como pudera ter amado aquele homem? Estava odiando-o agora com todas suas forças. — Ficarei aqui até que o toque de recolher seja suspenso, conforme combinamos. Meu sacrifício não será em vão. Não o dispensarei de sua promessa.

A resposta soou carregada de orgulho.

— Eu lhe dei minha palavra.

— É o que espero. — Shantelle o encarou como se quisesse fulminá-lo. — E como sua companhia me dá tanto desprazer quanto a minha a você, por que não vai para o quarto e me deixa em paz?

— Como quiser — Luís respondeu com ar de indiferença. — A escolha é sua. O desconforto é seu.

Luís se afastou. Ela não sabia se ficava aliviada ou ainda

mais zangada. Era óbvio que não se importava com ela. Em sua opinião, ela não merecia nem sequer um minuto de seu tempo.

Quase foi vencida pela raiva. Queria procurá-lo e dizer tudo o que estava pensando sobre ele. Sobre suas mentiras.

Para quê?

Ela não existia para Luís.

Talvez nunca tivesse tido realmente o propósito de atender o pedido de Alan. Talvez tivesse sido um plano. Quem lhe garantia que Luís iria entregar o veículo pela manhã?

De qualquer forma, ela cumpriria o trato até o fim. Ao menos sairia daquele hotel de cabeça erguida, com sua integridade intacta.

Olhou ao redor à procura da fita com que prendera os cabelos antes de vir ao encontro de Luís. Vasculhou todos os lugares sem encontrá-lo. Ele deveria tê-lo guardado em seu bolso. O que a irritou. Por alguma razão, queria ir embora do mesmo jeito que viera.

Quando se cansou de procurar, tirou o fone do gancho e pediu para ser acordada às cinco e quarenta e cinco. Então, confiante de que não perderia a hora, apagou as luzes. O luar e as luzes da cidade que se infiltravam pela janela seriam suficientes para orientá-la.

Juntou duas poltronas e se acomodou da melhor maneira que pôde. Estava exausta. Fechou os olhos e rezou para que o sono lhe trouxesse algum alívio.

Mas seu coração estava triste demais para se aquietar e seus olhos se encheram de lágrimas. Não conseguiu contê-las. Talvez fosse melhor dar vazão a elas enquanto estava sozinha. Pela manhã teria de se mostrar forte outra vez.

— Shantelle...

Ao ouvir seu nome, tentou abrir os olhos. Eles se recusavam a tirá-la de seu torpor.

— Shantelle.

Antes o chamado parecera distante. Agora estava muito perto.

Luís estava de pé, olhando para ela com o cenho franzido. Ela estranhou. Por que motivo ele a acordara?

Sentou-se e só então percebeu que ele já havia tomado banho e se vestido. Isso só podia ter um significado. A recepção havia falhado e eles haviam esquecido de acordá-la.

— Que horas são? — Ela se levantou.

— Não está atrasada, se é isso que está pensando. Ainda não são cinco e trinta. Eu pedi que servissem o café da manhã no quarto.

— Para mim?

— Para nós dois.

Bateram à porta naquele instante. Enquanto Luís se levantava para atender, ela foi ao banheiro. Estava perplexa com o rumo que os eventos estavam tomando. Luís estava muito sério. Vestira-se de azul-marinho. Até os tênis eram dessa cor. O que ele pretendia fazer tão cedo?

Mirou-se ao espelho e se arrependeu disso. Teria sido melhor se Luís tivesse permanecido no quarto em vez de ter ido acordá-la. Seus olhos estavam vermelhos e inchados. Na esperança de que ele ainda não tivesse notado e descoberto que passara a noite chorando, lavou os olhos repetidas vezes com água fria.

Os cabelos estavam rebeldes. Penteou-os com os dedos e conseguiu relativo sucesso. Por fim, alisou as roupas e se preparou para ir ao encontro de Luís pela última vez.

O café havia sido servido na sala. Luís já estava sentado à mesa.

— Tome o café enquanto está quente — ele disse.

— Obrigada — ela respondeu automaticamente, mas não se moveu. Não queria aceitar mais nada que viesse de Luís.

— Não faça cerimônia — ele insistiu. — Coma algo.

— Não estou com fome. — O que era verdade. — Pedi para ser acordada às cinco e quarenta e cinco. Não esperava que você quisesse se levantar antes.

— Pretendo estar na porta da garagem no minuto que o toque de recolher for suspenso.

Shantelle pestanejou. O que Luís pretendia? Desaparecer para que não o perturbassem mais por causa do ônibus?

— Para ir aonde?

— Negócios.

Ele mordeu um *croissant*. E ela mordeu o lábio. Não podia suportar tanta indiferença por seu problema e de seu irmão.

— E se o ônibus não for entregue às sete horas? Para onde poderei telefonar?

— Quem sabe?

— Isso não é justo, Luís — Shantelle protestou.

— Talvez não — ele concordou. — É pegar ou largar.

Foi mais forte do que ela. Estava magoada e frustrada demais para suportar mais um golpe. Esqueceu o orgulho, o bom senso e deu vazão a sua amargura.

— Eu nunca o usei como você me usou a noite passada. Não sei por que se acha no direito de brincar comigo. Mas sua tática não dará certo desta vez. Não aceitarei suas mentiras.

Ele parou de comer no mesmo instante. Ela estava pálida. Sua voz soou rouca quando prosseguiu:

— Eu irei atrás de você quando sair daqui. Serei sua sombra até que o ônibus seja entregue na porta do Europa como você prometeu.

— De que mentiras você está falando? — Luís perguntou.

— Não se atreva a se fazer de inocente! Foi muito conveniente de sua parte fingir que não havia nada entre você e Cláudia Gallardo enquanto esteve comigo.

— Não estava e não estou casado com ela! — Luís se defendeu.

— *Comprometidos*! Foi esta a palavra que sua mãe usou. A mulher de quem você me escondeu durante todo o tempo em que moramos sob o mesmo teto em Buenos Aires. A pessoa que me contou quem você realmente era.

— Quando foi isso? — Luís quis saber, atônito.

— Um dia antes de eu deixá-lo. Logo depois que você me excluiu, pela última vez, da convivência com sua família, não me dizendo que o convite que ela lhe fez era extensivo a mim.

Luís se levantou da cadeira com tanto ímpeto que quase a derrubou.

Shantelle assustou-se por um instante, mas se recusou a manter silêncio. Não era ela quem tinha motivos para fugir de uma confrontação. Não era ela quem deveria responder por uma série de erros.

— Você escondeu isso de mim! — ele acusou.

— Você também! — ela protestou.

— Você preferiu acreditar em minha mãe e não em mim! Você permitiu que ela destruísse nossa relação sem me consultar!

A reação de Luís deixou Shantelle perplexa.

— Você não confiou em mim! Não acreditou em mim! Você não teve coração! Como posso querer arriscar minha vida por você?

Shantelle não estava entendendo nada. O que tudo aquilo tinha a ver com a vida de Luís estar em perigo por causa dela?

— O que está querendo dizer? — perguntou.

Luís apertou os punhos. Ergueu o queixo e respirou fundo. Não era orgulho que estava em jogo naquele momento, mas honra.

— Volte para seu hotel e fique aguardando junto com seu irmão. Se eu não aparecer por lá com o ônibus, não foi por falta de tentativa.

— Você? Você dirigirá o ônibus?

Luís estava se encaminhando para a porta. Não respondeu. Permaneceu em silêncio mesmo quando a ouviu gritar seu nome.

— Luís!

Shantelle foi invadida por um súbito pressentimento de que não tornaria a vê-lo. Não se conformava. Precisavam conversar. Nada mais fazia sentido. Ela não sabia o que pensar.

A ordem era para que voltasse ao hotel e aguardasse. Aquela seria a única atitude lógica a tomar. Não havia mais o que fazer. Ela estava sozinha no quarto.

CAPÍTULO VIII

Alan estava à espera de Shantelle no saguão do hotel enquanto aproveitava para acompanhar os *checkouts* de seus clientes. Assim que a viu surgir, precipitou-se para a porta.

— Você está bem? — ele perguntou, examinando-a atentamente.

— Estou. — Ela não parou para responder. Seguiu em linha reta para os elevadores, determinada a não discutir com o irmão. — Minha bagagem ainda está na suíte?

— Está. Imaginei que você gostaria de trocar de roupa.

— Eu quero. Preciso da chave.

— Shantelle... — Alan tentou conversar ao mesmo tempo que entregava a chave.

— Obrigada. Não demorarei mais do que dois minutos.

— O que houve...?

— Luís foi buscar o ônibus — ela o interrompeu.

— Ele? Em pessoa? — Alan espantou-se.

Shantelle fez um movimento afirmativo com a cabeça.

— Disse que não será sua culpa se não conseguir chegar aqui às sete horas. Estão todos prontos?

— Os que não estão fechando suas contas no caixa, estão tomando café no restaurante — Luís respondeu, ainda atônito com o envolvimento inesperado de Luís no caso. — Coma algo, você também. Teremos um longo dia pela frente.

Ela chamou o elevador. Por sorte, a porta abriu de imediato.

— Você pediu que preparassem um lanche para servirmos no ônibus?

— Sim. Já providenciei tudo. Shantelle...

— Não posso prender o elevador, Alan. Descerei logo.

A porta tornou a fechar, deixando Alan com o cenho franzido.

Shantelle deu um suspiro de alívio. Não escondera nenhuma informação de Alan que dissesse respeito à situação em que se encontravam.

Quanto ao problema mal-resolvido entre ela e Luís, talvez ele tivesse motivos para pensar mal dé sua atitude. A mãe poderia ter mentido. Talvez Elvira Rosa Martinez e Cláudia Gallardo tivessem conspirado contra ela.

Qual seria a verdade?

Dois fatos se evidenciavam contra a escuridão da ignorância. Se ela tivesse contado a Luís sobre sua mãe tê-la procurado dois anos antes, agora ela não estaria confusa sobre os sentimentos dele. Nesse caso, a culpa teria sido toda dela. Mas, mesmo que sua culpa ficasse provada e Luís tivesse razões para pensar o pior sobre sua conduta, ele não poderia tê-la tratado como a tratara na noite anterior. Aquilo fora imperdoável.

Não adiantava, portanto, se deixar perseguir por conjeturas. Tampouco adiantaria se entregar ao desespero e ao arrependimento. Não havia mais nenhuma chance de um futuro para eles. Era mais do que tempo de esquecer o passado. Ou, ao menos, de aceitar que Luís nunca poderia ser seu.

Mas se ele conseguisse trazer o ônibus, ao menos o veria por mais alguns minutos antes de se dizerem adeus para sempre.

O elevador parou e ela seguiu pelo corredor em direção aos quartos. Mas foi só depois que entrou em sua suíte e fechou a porta que refletiu sobre a declaração de Luís sobre estar arriscando a vida por ela com a história do ônibus.

Por que teria dito isso? O perigo na rua seria tão grande assim? Não. Não acreditava que Alan seria capaz de colocar as vidas de seus clientes em cheque.

Mas as palavras soaram fatídicas. Luís falara sério.

Aquilo não fazia sentido. Por que Luís jogaria com a própria vida por sua causa, se era verdade que a desprezava? Os Martinez eram poderosos em todo o mundo. Se surgisse algum problema, bastaria ele estalar os dedos para resolvê-lo.

Não. O que Luís dissera não fazia sentido.

Shantelle colocou roupas limpas. Uma outra calça e uma outra camiseta, desta vez verde, mas também com o logotipo da agência. Escovou os cabelos e se sentiu satisfeita com o resultado.

Deu uma última olhada na suíte para se certificar de que não haviam esquecido nada, pegou as malas e desceu para o saguão. Deixou a bagagem aos cuidados do Alan e se afastou em direção ao restaurante antes que ele tivesse chance de formular outra pergunta.

Ainda estava abalada demais com o encontro com Luís para ter condições de responder perguntas.

A maioria das pessoas estava saindo do restaurante quando ela entrou. O tempo estava esgotando. Encaminhou-se para o bufê e examinou os pratos. Não estava sentindo apetite, mas seu senso prático ordenava que repusesse as energias para a viagem.

Pegou um copo de suco de frutas, duas bisnaguinhas, algumas fatias de presunto e de queijo e se sentou a uma mesa vazia. Não estava com disposição para conversar com ninguém.

Às dez para as sete, voltou para junto de Alan e se preparou para o trabalho, respondendo a dezenas de perguntas e tentando tranqüilizar os passageiros com relação à longa viagem que os aguardava.

Seriam dez horas de estrada entre La Paz e Santa Cruz, se tudo corresse bem. De lá, tomariam um avião para Buenos Aires, e então seguiriam para a Austrália, onde mantinham residência.

Estavam todos muito ansiosos. Alguns tinham medo do que encontrariam pela frente. Outros, principalmente os que haviam sofrido os males da altitude, queriam ir embora de qualquer jeito.

Os australianos não faziam nenhuma idéia das implicações de uma ocupação militar. O Exército não fazia parte de suas vidas. A única ocasião que viam soldados pelas ruas era no dia de Anzac, quando realizavam uma parada em homenagem aos veteranos de guerra. A única experiência com tanques remetia a visitas ao museu ou a reportagens pela televisão ou ainda a filmes de cinema.

Os minutos pareciam horas. Um burburinho nervoso cercava a pequena multidão. Alan orientou-os para que se mantivessem no interior do hotel, enquanto ele verificava se o ônibus estava chegando.

Shantelle exibia um sorriso de incentivo e de falsa confiança. Precisou de grande concentração para obter esse resultado. A custo conseguia disfarçar o nervosismo. À medida que os segundos passavam, a ansiedade teimava em assumir o controle.

Se o ônibus não chegasse, isso significaria que Luís havia sido preso.

Deus! Por mais que Luís a tivesse magoado, não queria que ele sofresse fisicamente. Luís afirmara que estava se arriscando por ela. Mas não tinha culpa, tinha? A escolha fora dele.

Os pensamentos voltaram subitamente para o passado. Luís havia lhe contado, uma vez, a história de seu irmão mais velho, Eduardo. Na época, quando houve conturbações políticas na Argentina, a polícia militar havia tomado Eduardo como um dos jovens dissidentes e levado-o para interrogatórios. E Eduardo nunca mais fora visto. O irmão de Luís fora um dos muitos desaparecidos nesse regime.

Em Buenos Aires, ela mesma havia presenciado a passeata das mulheres que se intitulavam as *Mães de Maio*, em protesto ao desaparecimento de seus filhos.

Shantelle sentiu um arrepio lhe percorrer o corpo. Isso poderia acontecer também na Bolívia? Esperava que não. E se, por infelicidade, Luís fosse realmente preso, Elvira

Rosa Martinez tinha poderes suficientes para negociar sua libertação. Eduardo, provavelmente, não havia sido identificado a tempo.

Um pensamento terrível assaltou-a. E se Luís também não tivesse tempo para se identificar?

Alan entrou apressado.

— O ônibus chegou!

Shantelle deu um suspiro de alívio.

— Peguem suas coisas e venham comigo — Alan ordenou. — Lembrem-se das instruções. As mulheres devem subir imediatamente. Os homens devem permanecer junto ao bagageiro para ajudar. O quanto antes sairmos daqui, melhor será.

A chegada do ônibus parecia ter elevado os ânimos. A excitação estava evidente no rosto das trinta pessoas que deixavam o hotel.

Shantelle posicionou-se no fim da fila para se certificar de que nada havia sido esquecido. Quando se aproximou da porta, sentiu o coração mais leve. Luís estava ao volante. São e salvo. Poderia voltar para o Plaza Hotel, sem perigo, assim que entregasse as chaves para Alan. Aquela seria a última vez que o veria.

Não deveria estar se sentindo tão triste. Aliás, isso era um absurdo depois do que ele fizera na noite anterior. Mas suas pernas se recusavam a obedecê-la. Estavam ansiosas por levá-la à calçada, para que ela pudesse ficar perto de Luís pela última vez antes que ele se despedisse.

Luís estava junto à porta do ônibus. Quando a viu, seus olhares se travaram. Era como se o resto do mundo tivesse deixado de existir, e eles estivessem ali sozinhos, ligados por uma força que suplantava a realidade.

De repente, ele interrompeu o contato e se dirigiu a Alan.

A intensidade daquele olhar abalou-a a ponto de não conseguir concatenar os pensamentos.

Precisava se concentrar no trabalho. Cabia-lhe a tarefa de organizar o embarque das mulheres enquanto Alan cuidava da bagagem. Mas elas estavam obedecendo a seqüência da fila e não havia nada que necessitasse sua intervenção.

Por outro lado, em vez de zelar para que as malas fossem colocadas nos devidos compartimentos, Alan estava obviamente discutindo com Luís.

Ela não pôde se controlar.

— Obrigada por nos trazer o ônibus, Luís — disse, interrompendo a conversa do dois.

Alan endereçou a ela um olhar desconfiado.

— Ele insiste em continuar dirigindo-o.

Shantelle pestanejou.

— Como?

— Luís quer seguir conosco.

— Até Santa Cruz? — Shantelle perguntou, perplexa.

— Até o inferno, se for necessário.

— Mas, por quê?

Ele deu um sorriso indecifrável.

— Porque você estará neste ônibus, Shantelle. Nosso assunto ainda não está resolvido.

Ela deveria ter dito que estava, que não restava nada a ser esclarecido, mas as palavras ficaram presas em sua garganta.

Era uma loucura. Aquela decisão não poderia resultar em nada de bom. Eles haviam se magoado, muito, mutuamente. Por outro lado, ela podia sentir que Luís estava diferente. Seu olhar e seu modo de tratá-la estavam mais brandos. Não havia mais sarcasmo, muito menos desprezo em suas atitudes.

Alan tentou protestar, mas Luís não permitiu.

— O ônibus é meu. Se não quer que eu o conduza, mande seu pessoal descer.

Os compartimentos de bagagem estavam sendo fechados. As mulheres já haviam escolhido seus lugares e os homens estavam se reunindo a elas.

— Droga, Luís! Deixe minha irmã em paz!

Luís não respondeu. Nada nem ninguém poderia mudar sua decisão. Ou Alan aceitava sua presença no ônibus ou não deixaria La Paz tão cedo. E Shantelle sabia que não importava o que Alan fosse decidir. Em qualquer hipótese,

Luís não a deixaria enquanto não resolvesse tudo que tivesse de ser resolvido. Fosse o que fosse.

Menos sexo! Shantelle não permitiria que Luís tornasse a usá-la. Mas não deveria ser sexo, obviamente, o que ocupava a mente dele no momento. Não em um ônibus lotado. Se restava algo a ser feito, portanto, não haveria lugar melhor. Ela estaria segura entre trinta pessoas.

— É melhor fazer o que ele quer, Alan, do que ficar aqui. O pessoal já embarcou. Vou subir e providenciar a contagem.

— Sei conduzir um coletivo melhor do que você, Luís — Alan protestou.

— Não terá condições de dirigir enquanto estivermos em La Paz. Mal dará conta de acalmar seus clientes. Não será uma viagem de lazer, você sabe disso. Prometo lhe entregar a direção assim que sairmos da cidade.

— É claro. Então você terá bastante tempo para destroçar ainda mais o coração de Shantelle.

Shantelle ouviu as palavras do irmão e hesitou, mas preferiu não se intrometer entre os dois.

— Não é justo, Luís — Alan prosseguiu. — Ela nunca se recuperou do que houve entre vocês.

— Nem eu, meu amigo — foi a resposta de Luís. — Nem eu.

Shantelle sentiu um baque no peito. Seria verdade?

— De que adianta isso, homem? — Alan insistiu. — Você nunca se casará com ela. Eu avisei-a desde o começo, mas ela não quis me escutar.

— Você também, Alan? — Luís disse com uma frieza que gelou o sangue de Shantelle. — Nesse caso, também é responsável.

— O que está insinuando? — Alan protestou.

— Não estou insinuando. Estou avisando-o para que fique fora de meu caminho e para que não tente interferir em meus planos.

Shantelle não fazia idéia do que Luís tinha em mente. E não estava em condições de tentar adivinhar. Precisava se certificar de que não estava faltando ninguém no ônibus para poderem iniciar a viagem.

Luís sentou-se ao volante e Alan assumiu o posto de guia da excursão. Ligou o microfone, apresentou Luís ao grupo e deu uma rápida explicação sobre a viagem que estava se iniciando.

Shantelle ocupou o primeiro banco, logo atrás do motorista. Não conseguia prestar atenção às palavras de Alan. Não era o trajeto em si que a preocupava, mas a presença de Luís. O que ele pretendia realmente? Que fim teria aquela história?

CAPÍTULO IX

As ruas de La Paz estavam praticamente vazias. Quase não havia carros e poucos dos pedestres eram civis. A sensação de estarem se movendo em uma zona de guerra era forte e opressiva. O silêncio no ônibus era total. Ninguém nem sequer sussurrava.

Shantelle notou que Luís estava evitando as ruas centrais. Era evidente que ele sabia do perigo de serem detidos. Quando avistava um grupo de soldados, pisava no acelerador, antes que eles tivessem tempo de reagir.

Alan deu instruções para que todos se portassem com naturalidade. Não deviam se levantar, mas também não deviam se abaixar nos bancos. Não deveriam fazer nenhum movimento que pudesse despertar suspeitas.

Como turistas, eles não eram alvos. Não estavam envolvidos no conflito. E foi nessa esperança que Shantelle se agarrou. Afinal, se Alan estivesse errado em sua suposição, todos eles poderiam estar em maus lençóis.

Estavam seguindo por uma rua deserta quando um tanque surgiu em um cruzamento e veio em direção a eles. Era parar ou bater. Luís parou. O tanque também. E para o terror de todos, a torre girou e o canhão apontou para eles.

Homens e mulheres gritaram.

— Fiquem quietos! — Alan ordenou ao microfone. — E não se levantem!

Os gritos cessaram, mas o clima era de pânico. Shantelle estava com a respiração suspensa. O canhão estava apontado diretamente para Luís. Ele deveria ter levantado suspeitas. Era o único que apresentava as características físicas do povo local.

Levantou-se de um salto e abraçou-o pelo pescoço de forma que os soldados pudessem ver seus cabelos. Eles tinham de saber que não eram nativos que lotavam o ônibus.

Alan chamou-a.

— O que está fazendo?

— Você não entende? — ela explicou, aflita. — Luís é moreno. Eles podem estar confundindo-o com um boliviano. Apresente-se. Diga que somos turistas e que temos gente doente à bordo.

— Você está certa! Abra a porta, Luís.

Alan gesticulou para o tanque para chamar a atenção sobre si. Luís pressionou o botão que abria automaticamente a porta.

— Não se afaste do ônibus — Luís avisou. — Não faça nenhum gesto que possa ser interpretado como uma ameaça.

Os minutos que se seguiram foram de extrema tensão. Alan falou em espanhol e explicou rapidamente que eram turistas australianos.

Ninguém saiu do tanque. Não houve resposta. Mas o canhão tornou a se mover e voltou à posição original. Em seguida, ele começou a se afastar e seguiu seu caminho.

O alívio foi geral. Alan voltou para dentro do ônibus e Luís fechou a porta. Alguns assobiaram, outros aplaudiram. E só nesse momento, Shantelle deu-se conta de que ainda estava com os braços ao redor do pescoço de Luís.

Antes que se afastasse, Luís segurou-lhe a mão direita e apertou-a. O toque não demorou mais do que alguns segundos, mas foi o suficiente. Havia muito a ser feito. A situação ainda era delicada.

Alan deu-lhe um tapinha no ombro. Havia um sorriso em seu rosto.

— Você foi esperta.

Ela fez um gesto de agradecimento com a cabeça e retornou a seu lugar.

Alan fez um pequeno discurso ao microfone, mas Shantelle não conseguiu prestar atenção. Ainda sentia o calor da mão de Luís na sua e estava assustada com a descoberta do quanto ele ainda exercia um forte fascínio sobre ela. Era como se ele a tivesse marcado para sempre: corpo, mente e espírito.

Bastava tocá-la para que uma reação química instantânea desencadeasse. O que não poderia continuar acontecendo. Não depois do que ele lhe fizera na noite anterior. Aquela fora a última vez. Não se entregaria mais à voluptuosidade de Luís. Se ele a quisesse, teria de ser por algo mais, não por puro sexo. Respeito, para começar. E honestidade. Se eles resolvessem tentar de novo, o orgulho teria de ser eliminado. Assim como os segredos.

Quanto mais pensava, mais curiosa ficava. E mais determinada a não ceder. Por outro lado, por que tinha tanta certeza de que Luís só a queria fisicamente? Talvez ele precisasse saber a verdade sobre o rompimento tanto quanto ela. Ou não conseguiria seguir em frente com sua vida. Também como ela.

O ônibus estava chegando ao ponto mais alto da viagem, sobre a colina que dava para o aeroporto. Faltava pouco para saírem da cidade e pegarem a estrada que os levaria a Santa Cruz. O perigo, porém, era ainda maior naquela área.

A tensão no ônibus tornava o ar quase irrespirável. Havia jipes do Exército parados à frente e soldados de ambos os lados da estrada.

Luís diminuiu a velocidade e se preparou para parar ao menor sinal. Mas os guardas, apesar dos olhares desconfiados que lançaram para o ônibus, não os proibiram de seguir viagem.

Parecia um milagre. Os excursionistas recuperaram o bom humor e relaxaram pela primeira vez desde que receberam a notícia sobre o fechamento da cidade. Alguns contaram piadas. Alan narrou episódios interessantes acontecidos em viagens anteriores. A ameaça foi esquecida.

Ninguém se lembrou da revolta dos fazendeiros e homens do campo.

Quando Luís chamou Alan, ela estremeceu. Poucos metros a frente, havia uma barricada. Eles pareciam ter cavado uma trincheira. Uma verdadeira multidão bloqueava a estrada.

Shantelle sentiu que empalidecia. Seria impossível evitar o obstáculo.

— Pise até o fim, Luís — Alan disse. — É nossa única chance.

— E se não conseguirmos? — Luís hesitou.

— Pode começar a rezar.

— Preparem-se! — Luís tomou a decisão e acelerou.

— Homens, levantem-se depressa, peguem toda a bagagem que guardaram nos compartimentos sobre suas cabeças e coloquem-na sob os bancos ou no corredor — Alan ordenou, batendo palmas para agilizar a ação. — Nosso motorista tentará vencer o cerco. Com a velocidade, os objetos poderão voar pelos ares. Não queremos que ninguém se machuque.

As instruções foram seguidas à risca. A velocidade dificultava a permanência dos homens em pé. Assim que terminaram de colocar a bagagem no chão, Alan mandou que se sentassem.

— Cruzem os braços e abaixem as cabeças para se protegerem do impacto — Alan prosseguiu.

Shantelle rezava com fervor. Luís precisava conseguir. Se o obstáculo fosse grande demais, eles poderiam sofrer um grave acidente.

— Aqueles que têm problemas de coluna, tentem se proteger com almofadas ou casacos.

O único som vinha da movimentação e das respirações. O momento crítico estava se aproximando. Shantelle pensou em Luís. Ele não deveria estar ali. Por que estava se arriscando tanto?

Ela o viu se levantar e se abraçar ao banco. Teria visto além da barreira? De qualquer modo, seria impossível parar o ônibus àquela altura. E se o pior acontecesse, Luís e Alan seriam os primeiros a serem atingidos. Depois ela.

Aquele poderia ser o fim. E ela nunca saberia...

Não houve tempo para maiores conjeturas.

O ônibus bateu contra algo e se precipitou para o alto. Shantelle tentou espiar pela janela e só conseguiu ver o vazio. Deus! Eles não conseguiriam. O veículo era longo demais. Mesmo que as rodas da frente alcançassem o outro lado da trincheira, as rodas de trás ficariam suspensas.

Houve um forte baque conforme a parte dianteira chegava do outro lado. Por alguma razão, o veículo havia atravessado. Uma parte parou no acostamento, a outra no asfalto. O ônibus ziguezagueou. Luís segurou o volante e lutou com todas suas forças para controlá-lo.

Shantelle olhou para ambos os lados da estrada e agradeceu mentalmente por não haver nenhum outro tipo de obstáculo.

Bolsas e sacolas estavam espalhadas pelo corredor. Ela ouviu resmungos e gemidos, mas ninguém gritou nem reclamou. Apesar de tudo, sabiam que Luís estava tentando salvá-los.

Não saberia dizer quanto tempo passou até que Luís conseguisse controlar o ônibus, diminuir a velocidade e finalmente parar.

— Uma das rodas traseiras ficou presa — Luís avisou e se levantou. — Vou dar uma olhada.

— Você foi incrível, homem — Alan elogiou-o.

— Fiz o que podia — Luís respondeu.

— Shantelle, cuide do pessoal — Alan pediu.

— Está bem.

Ela se levantou, apesar do tremor nas pernas. Luís fitou-a, mas não disse nada. Em seguida, saiu do ônibus atrás de Alan.

— Era eu quem deveria ter dito algo — Shantelle cen-surou-se. Ao menos um obrigada. O que Luís deveria estar pensando? Que estava ocupada demais tentando não des-maiar de medo?

Mas aquele não era o momento para se preocupar consigo mesma. Foi até o banco de Alan e pegou o microfone.

— Estão todos bem?

Alguns hematomas foram reportados, mas nenhum corte nem nada de mais sério.

— Quantos outros problemas ainda nos aguardam? — quis saber Ron, o homem que vinha criando confusões desde o primeiro dia da excursão.

— Sinceramente, não sei — Shantelle respondeu.

— Maldição! Alan não deveria...

— Ei! Espere um pouco, Ron — um excursionista inter-rompeu-o. — Alan nos avisou que poderia haver dificuldade. Você não quis saber. Foi o que mais insistiu que ele nos tirasse de La Paz. Chegou a ameaçá-lo de acabar com sua agência caso ele não o levasse de volta para casa no dia marcado.

— É verdade — concordou outro. — É melhor você ficar de boca fechada. Você é o maior culpado. Falou tanto que acabamos decidindo apoiá-lo. Agora estamos em perigo por nossa própria culpa. Devemos dar graças a Deus, por es-tarmos inteiros, ao menos.

— Pense no lado positivo — disse uma senhora. — Es-tamos vivendo uma grande aventura. Teremos muito o que contar a nossos amigos e familiares.

— Sim. Pena que não deu para filmar a corrida.

Shantelle suspirou de alívio ao perceber que a rebelião estava controlada.

— Bem, acho que seria uma boa idéia se cada um loca-lizasse sua bagagem enquanto Alan e Luís consertam a roda.

— Eles conseguirão arrumá-la sozinhos? — alguém perguntou.

— Alan é um mecânico excelente. Tenho certeza de que logo estaremos prosseguindo viagem — Shantelle respon-deu, confiante.

Os ruídos abafados vindos do lado de fora do ônibus indicavam que o conserto estava sendo feito. Mais seguros, os viajantes trouxeram as respectivas bolsas e sacolas para seus bancos.

Shantelle cogitava se Luís e Alan estariam se entendendo enquanto trabalhavam. Seria ótimo se eles conseguissem vencer a hostilidade. Já bastava ela ter de enfrentar Luís. Não queria ter de se defender também de seu irmão.

Uma das mulheres sugeriu que apanhassem as garrafas térmicas fornecidas pelo hotel e tomassem café.

Shantelle vetou a idéia. Ainda não estavam longe o bastante dos revoltosos para facilitarem. Não havia tempo a perder. Assim que Luís e Alan concluíssem os reparos, deveriam seguir imediatamente para Santa Cruz. Ainda faltavam nove horas para que alcançassem o destino.

Ninguém protestou.

Os ruídos finalmente cessaram. Luís e Alan voltaram para o ônibus. A curiosidade era geral. Shantelle tentou adivinhar se o conserto tivera sucesso. O sorriso de Alan foi a resposta. Luís parecia satisfeito, mas sua expressão continuava séria.

Alan reassumiu seu posto.

— Algum problema? — perguntou.

Ninguém se queixou. Alan assentiu com a cabeça e fez um sinal para que Shantelle voltasse a seu lugar. Luís se sentou atrás do volante e apertou o botão que fechava a porta.

— Ok. Vamos continuar nossa viagem. Daqui a duas horas, faremos uma parada. Se alguém precisar parar antes, por favor, avise. Luís, por favor entregue-me a direção. Você merece um descanso. Seus músculos devem estar doloridos depois de tanto esforço.

Shantelle franziu o cenho. Luís teria sofrido uma distensão ou algo assim?

— Que tal darmos uma salva de palmas a ele pelo que fez por nós? — Alan sugeriu.

Todos aplaudiram. Luís agradeceu com um gesto de cabeça e um sorriso breve. Alan desligou o microfone e se sentou ao volante. Antes de ligar o motor, trocou algumas palavras com Luís.

Shantelle ficou observando-os. Esperava que Luís fosse ocupar o lugar deixado por seu irmão. Em vez disso, ele sentou-se ao lado dela.

Não houve tempo para outra reação que não fosse a surpresa. Um instante depois, Shantelle se afastou para junto da janela, como se tivesse medo de que Luís a tocasse. Um absurdo, é claro. O que Luís poderia fazer com ela em um ônibus lotado? Além disso, Alan estava no banco da frente.

— Você se machucou? — ela perguntou, sem coragem para fitá-lo nos olhos.

— Não.

— Por quê, então, concordou em passar a direção para Alan?

— Porque preciso muito falar com você.

O coração de Shantelle bateu mais forte.

Duas horas de relativa privacidade, pensou, até que fizessem uma nova parada. Com o ronco do motor, Alan não poderia ouvi-los. Além disso, estava concentrado demais na estrada para tentar ouvir conversas alheias.

Shantelle se obrigou a encarar Luís.

— Por quê? — perguntou simplesmente.

Os olhos castanhos pareceram ficar ainda mais escuros.

— Fale-me sobre seu encontro com minha mãe.

O tom foi ríspido. Shantelle adivinhou que a responsável por isso não era ela.

— De que adianta remexer no passado?

— Para mim, o passado é o presente — Luís murmurou.

Shantelle balançou a cabeça.

— Você me decepcionou muito, Luís. Você me traiu.

— Não, Shantelle. Eu jamais a traí.

A resposta pareceu sincera. Shantelle fechou os olhos.

— Por favor, conte-me tudo. Conte cada detalhe de sua conversa com minha mãe.

A ênfase sobre a mãe foi repetida. Shantelle se preparou para reviver a amargura daquele dia fatídico. O dia que Elvira Rosa Martinez partira seu coração e mudara o curso de sua vida.

CAPÍTULO X

Dois anos não haviam conseguido apagar a lembrança do encontro com Elvira Rosa Martinez. Shantelle havia tentado esquecê-lo e enterrá-lo, mas bastou ser dada a ordem para a exumação, e as cenas voltaram, tão nítidas como se tudo tivesse acontecido no dia anterior.

— Você afirmou que esteve com minha mãe um dia antes de me deixar — Luís incentivou-a.

— Sim, mas os problemas começaram muito antes — Shantelle confessou, mais uma vez de volta à época em que morara com Luís no apartamento que ele possuía no bairro mais elegante de Buenos Aires, chamado Recoleta. Quando voltara com ele do Amazonas, não imaginava que Luís não quisesse misturar sua vida passional com sua vida *familiar* e que a mãe dele morava naquele mesmo bairro.

— Minha mãe a procurou antes? — ele indagou, perplexo.

— Não. Mas você evitou nos apresentar. Você evitou, aliás, me apresentar a todos seus amigos e conhecidos. — Shantelle encarou-o. — Por quê, Luís?

Ele sustentou o olhar de Shantelle sem pestanejar.

— Por que não queria dividi-la com ninguém.

— Tinha planos de me deixar participar de sua vida um dia?

— Acho que isso seria inevitável, caso você tivesse continuado comigo.

— Você se envergonhava de mim?

— Por que deveria?

— Porque eu não pertenço a sua classe social.

— Foi o que minha mãe disse?

Shantelle respondeu com uma acusação.

— Se você não tivesse me isolado, nada do que ela dissesse me abalaria!

Incapaz de continuar falando, Shantelle olhou pela janela, embora não conseguisse enxergar a vista. Lembrou-se dos longos e solitários dias esperando que Luís voltasse do trabalho. Não tinha ninguém com quem conversar. Sua única distração era caminhar pelas ruas do bairro. Não que isso a aborrecesse. Buenos Aires era uma cidade fascinante. Não era à toa que a chamavam de *Paris das Américas*.

Quase todos os dias, assistia às apresentações de músicos e mímicos nas praças, ou visitava galerias de arte. Uma tarde, foi até o cemitério onde Eva Perón descansava.

Embora estivesse vivendo em um país estrangeiro e precisasse se adaptar a sua cultura, não tivera nenhuma dificuldade até o dia que a mãe de Luís se apresentou. E a Cláudia Gallardo.

— O que mais doeu foi sua falsa solidariedade — Shantelle observou. — Ela não parava de dizer o quanto sentia por eu ter sido tão cega sobre suas intenções para comigo. Que você, Luís, errara muito em não revelar a posição que me reservara em sua vida.

— Que posição era essa, de acordo com minha mãe?

— De sua amante, é claro. De que eu servia apenas para satisfazer seus desejos. E que não era digna de me tornar sua esposa. Ela disse que os argentinos usam as mulheres como eu de forma a poderem se comportar com suas noivas e as levarem virgens até o altar.

— Você acreditou que eu seria capaz dessa infâmia? Eu não faria isso com nenhuma mulher, quanto mais com a irmã de um amigo!

Os olhos de Shantelle faiscaram.

— Você me usou ontem à noite. Nega isso?

— Você tinha uma escolha — Luís se defendeu. — Você

aceitou minha proposta. Você aceitou ser tratada da mesma forma que me tratou há dois anos. Como um objeto sexual.

— Jamais usei você, Luís. Disse aquilo porque...

— Porque as palavras de minha mãe significaram mais do que eu e nosso relacionamento — ele terminou por ela.

— Não foram apenas palavras, Luís. Eu conheci Cláudia Gallardo.

— Cláudia disse, por acaso, que era minha noiva?

— Não. Ela disse que estavam comprometidos.

— A própria Cláudia?

Shantelle hesitou. Não conseguia se lembrar com clareza. Talvez ela não tivesse mencionado a palavra compromisso, mas a implicação era essa.

— *Quando eu me casar com Luís...* Ela disse isso tantas vezes durante e após o almoço, que a frase parecia um refrão. Mas quem usou a palavra compromisso, creio que foi sua mãe.

— Onde aconteceu esse almoço? — Luís quis saber.

— Em sua casa, na avenida Alvear.

Ela viu Luís contrair a mandíbula e apertar os lábios.

— Como foi feito o convite?

— Sua mãe tocou a campainha e eu fui abrir a porta. Eram nove e trinta da manhã. Ela se apresentou e me fez o convite. — Shantelle sentiu um gosto amargo na boca. — Disse que seria bom para eu aprender a conhecê-lo melhor.

Shantelle fechou os olhos. Estava cansada. De que adiantaria continuar com aquela conversa? O presente estava complicado o suficiente.

Alan estava percorrendo o platô andino em relativa velocidade. O tempo, ao menos, os favorecia. O dia não poderia estar mais bonito.

Fora em um dia claro e ensolarado como aquele que Elvira Rosa Martinez destruíra sua felicidade.

Seu irmão tentou preveni-la sobre a família de Luís quando soube que eles estavam namorando. Enumerou todas as empresas e propriedades de que tinha conhecimento, mas Shantelle não se importou. Luís não era do tipo que se vangloriava de sua fortuna. Nunca havia tocado em nenhum assunto que pudesse humilhá-la.

O barco que alugou para viajarem pelo rio Amazonas se assemelhava mais à embarcação usada no filme *Uma Aventura na África* com Humphrey Bogart e Katherine Hepburn do que a um iate de luxo. Seu apartamento era confortável e bem decorado, mas nada ostensivo. O único momento que Shantelle se lembrou de que Luís era rico foi quando abriu a porta e viu a mãe dele.

Os cabelos pretos com alguns fios grisalhos estavam penteados com habilidade profissional. A roupa elegante sugeria uma grife cara, provavelmente italiana. Talvez Cerruti. Os sapatos e a bolsa eram um complemento perfeito para o traje.

Durante uma viagem ao Rio de Janeiro, Shantelle teve a oportunidade de conhecer a mundialmente famosa joalheria H. Stern. O fabuloso colar de *design* geométrico foi imediatamente reconhecido, assim como os brincos, em ouro amarelo e branco e rubis. Os vários anéis eram também magníficos.

Shantelle sentiu-se uma maltrapilha em relação à mulher que se encontrava a sua frente. Estava usando um vestido de algodão, desenhado mais para uma turista esconder a bolsa amarrada à cintura com o dinheiro e o passaporte, do que para realçar as formas femininas. E as sandálias eram simples, para ficar em casa, sem saltos.

Luís nunca se importara com seu guarda-roupa. Pensando bem, ele preferia vê-la nua do que vestida.

O carro com motorista para onde ela foi levada a fez sentir-se ainda mais desconfortável. Não imaginava que a família de Luís morasse tão perto. Em cinco minutos, ela a teria alcançado a pé. Mas, pelo que percebera, pessoas como Elvira Rosa Martinez não se dignavam a caminhar pelas ruas ao lado de gente comum.

O carro parou diante de enormes portões de ferro que se abriram automaticamente quando o motorista falou por um *walk-talk*. O carro seguiu, então, por um caminho semicircular e deixou-as à porta principal da mansão.

Para Luís que havia nascido ali, a residência poderia ser considerada apenas seu lar, mas, para ela, era um palácio.

Os móveis que lhe mostraram eram importados da Espanha, da Itália e da França em grande parte. O salão de baile a fez lembrar o Museu de Versailles com suas paredes espelhadas. E a imagem que os espelhos lhe devolviam era de alguém que não combinava com o ambiente de luxo e requinte.

Como era de esperar, Elvira Rosa Martinez teve a sutileza de não mencionar o fato. Não era necessário. Ao lhe mostrar as salas e falar sobre os retratos de seus antepassados, ela alcançou seu objetivo que era lembrar a responsabilidade que cabia a Luís de levar adiante o nome e a fortuna dos Martinez.

Ao lado de Shantelle, Luís movia as mãos, incapaz de disfarçar a agitação.

— Que julgamento você fez de mim, Shantelle? De minha vida com minha família?

Shantelle suspirou, impaciente.

— Você sabe, Luís. Melhor do que eu.

— Um *tour* pelo mausoléu dos Martinez deve ter sido uma experiência inesquecível para você — Luís murmurou. — Posso até ver minha mãe lhe mostrando os tesouros acumulados durante séculos pelas diversas gerações, cujos rostos você pôde ver nas paredes, em quadros.

O tom de zombaria surpreendeu-a.

— Você não valoriza o que é seu? Não preza o que sua família lhe deixou?

— O preço é alto demais, Shantelle. Cláudia participou do *tour*? — ele mudou de assunto.

— Não.

A cena daquele dia infiltrou-se na mente de Shantelle. Cláudia estava usando um vestido de seda espetacular que realçava o tom bronzeado de sua pele, seus cabelos pretos e brilhantes e os olhos escuros. A corrente de ouro no pescoço e os brincos delicados chamavam ainda mais a atenção para sua juventude e beleza. Ninguém precisaria lhe ter dito que Cláudia Gallardo era a mulher perfeita para um homem da classe social de Luís.

— Ela chegou por volta do meio-dia. — Shantelle contou, antecipando a pergunta seguinte.

— Minha mãe apresentou você como minha amante secreta? Shantelle sentiu que corava.

— Não. Ela foi mais sutil. Explicou-lhe sobre a amizade que existia entre você e Alan e disse simplesmente que eu era irmã dele e que estava passando uma temporada em Buenos Aires.

— O que fez não foi para protegê-la, como deve ter percebido — Luís resmungou, irritado. — Ela sempre quis Cláudia para mim. Isso fez parte de seu jogo para afastá-la de minha vida.

Apesar do que Luís estava lhe dizendo, Shantelle entendia a situação de Cláudia. Deveria ter sido horrível para ela, retornar de uma viagem à Europa, e descobrir que seu homem estava envolvido com outra mulher. E sua conversa durante o almoço lhe parecera espontânea e sincera quando mencionou seus planos para o futuro.

Shantelle mal podia esperar que aquele almoço terminasse. As duas mulheres, de uma só vez, haviam conseguido destruir todos seus sonhos de continuar vivendo em Buenos Aires com Luís. A sensação de vazio e de desesperança foi mais forte do que ela. Sua decisão de voltar para a Austrália foi tomada àquela mesa, em um lugar e perante pessoas que jamais a aceitariam.

Seus olhos, durante o almoço, insistiam em pousar sobre um enfeite, talvez na tentativa inútil de evitar os rostos das duas mulheres. Era um objeto em prata. Mostrava uma árvore sob a qual descansavam três gamos. A copa da árvore abria-se para um recipiente onde haviam sido colocadas rosas vermelhas. O efeito era de suntuosidade. Desde aquele dia, Shantelle passou a detestar rosas vermelhas.

— Mesmo assim, você me esperou aquela noite em meu apartamento... — Luís sussurrou.

— Eu não queria acreditar que você estava me usando.

Tinha esperança de que você fosse me contar sobre Cláudia e que dissesse que não se casaria com ela apesar da vontade de sua mãe.

— Por que não falou a esse respeito comigo? — Luís perguntou, como se estivesse muito cansado.

Porque seria humilhante demais, caso fosse verdade e ele pretendesse se casar e continuar tendo-a apenas como amante. Porque ela não tinha coragem de encarar essa possibilidade. Porque continuava amando-o, apesar de tudo. Mas depois, houve aquele horrível telefonema.

— Sua mãe ligou aquela noite. Ela me avisou que telefonaria para você às oito horas. E ela ligou, você se lembra?

— Sim.

— E fez um convite para almoçarmos com ela no domingo. Um convite que me incluía.

— Não! — Luís negou com veemência.

— Não adianta mentir, Luís. Eu ouvi a desculpa que você deu. — Ela queria que eu acompanhasse Cláudia a uma festa — Luís protestou, impaciente. — Ela não se referiu a você. — De repente, Luís deu uma risada sarcástica. — Ao menos foi o que me pareceu na ocasião. Eu nem sequer desconfiei da manobra que ela arquitetou. Senti-me aliviado com o telefonema porque significava que você estava segura. Como poderia saber? *Madre de Dios!*

Shantelle pestanejou. Não imaginara que a mãe de Luís lhe despertasse tanto medo. Até que ponto ela governava a vida do filho?

— Minha mãe combinou aquele telefonema com você como uma espécie de teste?

Shantelle fez um movimento afirmativo com a cabeça.

— Pensei que fosse um acordo de mulher para mulher. Que ela quisesse me alertar sobre minha posição em sua vida.

— Então, quando eu me recusei a acompanhar Cláudia, você deduziu que eu estava me furtando a levá-la à casa de minha família. Foi isso?

— Sim — Shantelle admitiu.

— E sua paixão por mim acabou naquela noite.

Quando se deitaram, ela quis que fosse uma despedida. Mas viu-se impossibilitada de corresponder às carícias de Luís. Não conseguia afastar a imagem de Cláudia de sua mente. Não conseguia encarar a realidade de ter sido apenas uma aventura para Luís.

— Eu me senti usada — Shantelle murmurou.

— E com sua atitude, fez com que *eu* me sentisse usado.

— Acho que sim.

— Para você, teria de ser casamento ou nada.

Ele não tinha o direito de chegar a uma conclusão como aquela. Ela havia se entregado a ele sem reservas, sem promessas.

— Nós nunca chegamos a discutir isso.

— Não. Eu sabia que minha mãe não a aceitaria porque tinha outros planos para mim.

— É claro. Você estava com seu futuro traçado. Eu não fazia parte.

— Você deveria ter me contado. Em vez disso, preferiu confiar em outras pessoas. Decidiu sozinha que eu iria me casar com Cláudia e que era para mim apenas uma amante secreta.

— O que esperava que eu fizesse? Que me sentisse feliz por você estar praticamente noivo de outra?

— Cláudia Gallardo nunca será minha esposa. Vejo agora o quanto ela é parecida com minha mãe. Não serei uma marionete em suas mãos. Não cairei na teia que ela e minha mãe teceram.

Shantelle refugiou-se no silêncio. Entendia agora por que as pessoas costumavam dizer que o poder corrompe. Luís acusou-a de falta de confiança, mas como alguém podia confiar no mundo em que Luís vivia, se sua própria mãe conspirava as suas costas?

Alan estava certo. Sua relação com Luís estava fadada ao fracasso desde o início. Não era sempre que o amor resolvia tudo. Não quando havia dinheiro e poder em jogo.

CAPÍTULO XI

Luís fechou os olhos. Sua vida parecia estar terminando e ele via os episódios de seu passado desfilando em sua mente como um filme. Não via nenhuma saída. Sua chance de sobrevivência havia sido destruída por ele mesmo na noite anterior.

De nada adiantava entregar-se à raiva. O que estava feito, não podia ser desfeito. Ele havia perdido para sempre a única mulher que lhe dera amor, alegria e prazer. Não podia culpá-la. Shantelle fora uma vítima. Em sua inocência, deixara-se manipular pelas forças que governavam o mundo em que ele vivia. E das quais tentara se libertar... em vão.

Tolo!

Ele poderia tê-la reconquistado na noite anterior. Em vez disso, distanciara-se ainda mais. Shantelle estava agora fora de seu alcance. E por que não? Ela se revestira de uma couraça de proteção para não sofrer mais.

Alan era outra vítima. Agira terrivelmente mal com o melhor amigo que já tivera. E as culpadas pelo infortúnio de três pessoas estavam se preparando para colher os frutos de seu veneno. Naquela noite, se ele não tivesse ficado detido em La Paz, Cláudia estaria ostentando um anel de noivado em sua mão direita e sua mãe estaria se parabenizando por sua vitória suja.

O destino tinha armas surpreendentes, Luís pensou. Se não fosse pela situação política em La Paz e pela necessidade de Alan de tirar seus clientes da cidade em um ônibus, ele agora seria o responsável pela união das fortunas dos Gallardo e dos Martinez. Em troca, teria sacrificado o único grande amor de sua vida.

Não. Não havia justificativa para isso. Jamais poderia perdoar sua mãe.

Tudo que Shantelle lhe dissera na noite anterior, agora fazia sentido. Se não estivesse tão cego pela amargura, teria notado as repetidas referências a casamento.

Mas a mágoa fora profunda demais. As cicatrizes deixadas há dois anos não permitiram reflexões. Mas por terem sido reabertas, Luís faria as responsáveis pagarem.

A linda e submissa Cláudia que lhe oferecera conforto ao mesmo tempo que escondia um coração maquiavélico, podia dar adeus a suas ambições de tê-lo como marido. Cada vez que pensava em sua voz angelical desferindo golpes impiedosos em Shantelle à mesa de almoço, ele sentia o sangue ferver nas veias.

Esqueça o que passou, uma voz tentava lhe dizer. Só Deus podia julgar. A vida não fora fácil para sua mãe...

Ela havia mudado com o desaparecimento de Eduardo. Nem sequer a morte de seu marido, cinco anos antes, havia causado tanto sofrimento.

Fora a partir dessa situação que ela se tornara uma mulher que queria deter o poder acima de tudo. Amar significava fraquejar. Ela não se permitiria mais nenhuma vulnerabilidade. Nem que para isso, tivesse de esquecer o amor. Ao menos não haveria riscos de perdas.

Sua nova filosofia não foi traduzida em palavras, mas em ação. Com a perda de Eduardo, Luís, seu segundo filho, teria de assumir as empresas da família. E ela o teria sempre por perto.

Luís entendia as necessidades de sua mãe e os motivos que a levavam a agir como uma déspota, mas ser a responsável pelo sofrimento de três pessoas, com mentiras, era demais.

Ela precisava ser detida. A qualquer preço.

Seria melhor, é claro, se ele conseguisse convencê-la por

bem de seu erro. Quando a fizesse entender que fora longe demais e que suas manobras o deixaram infeliz por dois anos, talvez ela se arrependesse. Precisava tentar esse caminho em primeiro lugar. Apesar de tudo, ele não queria excluir a mãe de sua vida. Apenas queria que aprendesse a não interferir suas decisões e que encarasse as conseqüências de seus atos.

Como?

Ele sabia a resposta. Sabia o que queria fazer. Sabia também que Shantelle não concordaria. Mas a idéia não lhe saía da cabeça. Seria uma questão de justiça. Algo que ninguém poderia impedir. Seria um ato público decorrente da escolha de sua própria mãe.

Mas seria necessária a colaboração de Shantelle. Precisava fazê-la entender que seria um ato de justiça, embora tivesse quase certeza de que ela não aceitaria participar de seu plano.

Precisava tentar, de qualquer maneira.

Sua felicidade e de Shantelle dependeria disso. Em vez de continuar a vê-lo como o homem que lhe causara mágoa, queria que começasse a encará-lo como o homem que havia decidido se libertar para dedicar-se a ela.

CAPÍTULO XII

Chegaram a Caracollo, a primeira parada. Por terem conseguido cumprir o trajeto sem surgir nenhum outro imprevisto, todos estavam bem-humorados.

— O descanso será de vinte minutos — Alan estipulou. — Não se afastem. Aproveitem a loja de conveniências do posto e o restaurante e voltem para o ônibus. Shantelle e eu providenciaremos água, refrigerantes, café e bolo para vocês.

Os turistas saltaram. Shantelle tentou se afastar de Luís. Mas antes que ela pudesse seguir para o restaurante com o irmão, Luís se ofereceu para ajudá-los a carregar o lanche.

Evitou fitá-lo. Estava zangada demais com ele para continuar em sua companhia. Já bastava terem ocupado o mesmo banco durante o primeiro trecho da viagem.

Sua frieza deveria ter sido finalmente notada. Ele tirou o celular que trazia preso ao cinto e sé afastou para fazer suas ligações em particular.

— Você está bem? — Alan perguntou.

— Sim — ela respondeu.

— Eu estava enganado sobre Luís. Deveria ter imaginado que ele não seria capaz de fazer o que pensei.

— Não se preocupe. Todos nós nos enganamos na vida.

— Vocês já conversaram?

— Já.

— E?

— Nada. Não há o que fazer.

Alan obviamente não gostou da resposta. Queria pedir

explicações a Shantelle, mas as pessoas estavam voltando para o ônibus. Não havia tempo a perder.

Cochabamba foi a parada seguinte. Depois, seguiram por longas horas pelas planícies até Santa Cruz. A meta era chegarem ao anoitecer.

Alan havia conseguido reservar acomodações em um hotel para o pernoite e lugares no primeiro vôo para Buenos Aires. Se tudo desse certo, estariam no aeroporto a tempo para a conexão prevista para o retorno à Austrália.

Se tudo desse certo... se não surgisse nenhum imprevisto, o que era comum na América do Sul.

Fortes chuvas costumavam bloquear as estradas e o trânsito demorava horas para voltar ao normal. Vôos eram cancelados ou adiados sem notas de desculpas ou explicações por parte das companhias aéreas. Em La Paz, não havia acontecido até mesmo um levante político?

Por outro lado, o continente era mágico. Seus tesouros eram incríveis e incalculáveis: o vale da Lua, a herança dos incas, o esoterismo da cidade abandonada de Machu Pichu, o espetáculo das Cataratas do Iguaçú, a esplêndida Amazônia, o Rio de Janeiro com o Pão de Açúcar e a majestosa imagem de Cristo Redentor no Corcovado, Buenos Aires... que abrigava a família Martinez.

Shantelle suspirou.

Apesar dos obstáculos e desconfortos, uma viagem sempre valia a pena. E foi essa a idéia brilhante que Shantelle teve para ser obrigada a suportar a presença de Luís a seu lado.

Sugeriu ao irmão que a deixasse fazer uso do microfone para distrair os passageiros por algum tempo, enaltecendo as paisagens daquele continente que mereciam outras visitas. Ele a surpreendeu, oferecendo-se para a tarefa.

— Combinei com Luís que ele assumiria o volante até Cochabamba. Dessa forma, nenhum de nós ficará cansado e não comprometeremos a segurança de nossos clientes e também a nossa.

Shantelle franziu o rosto. Então, o próprio Luís quisera se afastar.

Melhor assim, pensou. Recostou-se no banco, certa de que conseguiria relaxar. Em vez disso, viu-se olhando o tempo todo para a cabeça de Luís, como se quisesse ler seus pensamentos.

A tensão, em vez de diminuir, deixou-a angustiada.

As palavras que Luís lhe dissera ecoavam em seus ouvidos sem cessar. Ele a acusara de falta de confiança. A verdade, nua e crua, era que ela não havia acreditado o suficiente no amor de Luís. Ela havia preferido confiar na mãe dele e em sua pretensa futura noiva. Confiara em duas desconhecidas em vez de confiar no homem que conhecia e que amava. Luís estava certo. Ela não devia tê-lo abandonado sem discutirem a situação.

Com seu gesto, partira dois corações e não havia cura possível.

Pararam para almoçar em Cochabamba. Luís tornou a se afastar para fazer ligações em seu celular. Deveria estar cuidando de seus negócios, Shantelle pensou enquanto conduzia junto com o irmão os excursionistas para o restaurante onde o almoço tipo bufê possibilitaria uma refeição rápida e farta.

O trajeto seguinte os levou para Villa Tunari. Antes que partissem, Shantelle ofereceu-se outra vez para distrair os passageiros, ansiosa para se livrar de Luís, que agora cederia o volante para Alan.

— Não acho uma boa idéia — Alan dispensou-a. — Eles acabaram de comer. Devem estar querendo tirar um cochilo.

Perturbada com a proximidade de Luís, Shantelle encolheu-se junto à janela. E estava pensando em fechar os olhos e fingir que dormia para evitar o silêncio pesado que certamente aconteceria, quando Luís a surpreendeu com um pedido de desculpa.

— Você seria capaz de me perdoar pelo meu comportamento de ontem à noite?

Foi mais o tom de voz do que a pergunta que fez o coração de Shantelle bater mais forte. Olhou para os olhos de Luís. Não havia sarcasmo, nem emoção. Ela não conseguia enxergar nada a não ser seriedade.

— Ambos nos comportamos de maneira lamentável — ela murmurou. — Eu também sinto muito pela dor que lhe causei.

— Mas sentir apenas não basta, não é?

Shantelle fez um gesto negativo com a cabeça.

— Não, não basta. Há outros fatores envolvidos.

— Sim — ele concordou e tornou a surpreendê-la: — Minha mãe dará uma grande recepção esta noite. A lista de convidados inclui os nomes mais proeminentes da Argentina. A família Gallardo estará lá.

Shantelle apertou os lábios. Preferia que Luís não tornasse a mencionar as pessoas que faziam parte de seu mundo.

— Eu me sentiria muito honrado — ele continuou —, se você aceitasse me acompanhar à festa, Shantelle.

O choque lhe provocou um arrepio. Luís não podia estar falando sério. Ou ela estava sonhando ou Luís havia perdido o juízo.

— Por quê?

Ele deu um pequeno sorriso.

— Para reparar, talvez, ao menos em parte, o mal que lhe causei.

— Como minha presença em uma festa oferecida por sua mãe poderia remediar os males?

— Há dois anos, eu não fui forte o bastante para lutar por você. Não foi de propósito, mas eu cometi um erro grave. Gostaria de tentar corrigi-lo. Eu teria muito orgulho em apresentá-la a minha mãe e a toda Argentina.

Shantelle respirou fundo.

— É tarde demais, Luís.

— Nunca é tarde demais para se dar o devido respeito. Para redimir a auto-estima e o orgulho ferido. Farei isso esta noite, se você permitir.

— Não importa mais. Essa gente não faz parte de minha vida. Nunca fará.

— Não importa que elas tenham mentido a você? — Luís protestou. — Que elas tenham mentido sobre mim e feito você pensar que não significava nada em minha vida? Pode esquecer e perdoar isso, Shantelle? Ou a ferida nunca parará de sangrar em seu coração?

— Foi há muito tempo, Luís.

— Não — ele insistiu. — O passado se estendeu ao presente. Ele está dentro de nós. Sempre estará. Por favor. Eu imploro que me deixe fazer justiça.

Shantelle sentiu-se abalar pela avalanche dos sentimentos que ainda sentia por Luís. Mas ele estava querendo arrastá-la para uma vingança. Para quê? Nada do que ele fizesse ou dissesse lhe devolveria o que lhe fora roubado.

Por outro lado, se fosse sincera consigo mesma, admitiria que a idéia era atraente. Elvira Rosa Martinez teria sua grandiosa recepção acabada se Luís a apresentasse aos convidados como sua companheira, sob os narizes arrogantes de sua mãe e de Cláudia Gallardo.

O preço para isso seria alto demais. Ela teria de ficar ainda mais tempo ao lado de Luís, revivendo o passado doloroso. Ele acabaria tocando-a, conduzindo-a pelo braço por entre os convidados. Estaria fingindo que era real, quando ambos sabiam que era apenas uma farsa em busca de um acerto de contas.

Não. Não podia concordar com aquele plano.

De qualquer forma, como ele esperava chegar à festa?

— Você esqueceu que estamos na Bolívia? E que será muita sorte se conseguirmos chegar a Santa Cruz esta noite?

— Haverá um avião particular a nossa espera para nos levar a Buenos Aires.

— Você contratou um? — Shantelle perguntou, espantada.

— Sim, tomei todas as providências nesse sentido. Espero que você aceite me acompanhar.

Shantelle pensou nas ligações pelo celular. Quando a idéia teria surgido? Antes ou depois de Caracollo?

— Por favor, Shantelle...

— O que espera realmente conseguir levando-me para essa recepção?

— Você permitiu que elas fizessem de mim o que quiseram. Mas se você se deixar ver a meu lado, elas saberão que não sou um fantoche.

— Você quer fazer com elas, em suma, o que fez comigo ontem à noite? — Shantelle perguntou, tensa.

— Não. Aquilo não foi justiça. Foi vingança. Um ato de que me envergonharei pelo resto de meus dias. Mas não existe vergonha em procurar a justiça, Shantelle. Eu não teria paz se não a perseguisse.

Ele estava certo em parte. Elvira Rosa Martinez e Cláudia Gallardo não deviam ficar impunes. O que elas fizeram fora um crime. Um crime premeditado contra o amor.

Luís não estava pedindo muito. Seria apenas mais uma noite. Em nome do orgulho. Dele e dela. Mas ainda havia outro problema: a roupa.

— Não tenho nenhum vestido adequado, Luís. Se eu me apresentar do jeito que costumo me vestir, o vexame será total.

— Eu cuidarei disso. Mandarei entregarem uma seleção de vestidos e de acessórios em meu apartamento para você escolher. Será a mais elegante da festa, eu garanto.

Dinheiro. Shantelle ordenou-se a não esquecer esse detalhe. Aquele não era seu mundo. Ela não era como Luís que podia conseguir tudo o que queria com um estalar de dedos. Ou com um telefonema.

— Acha que valerá a pena? — Shantelle insistiu. — Mesmo que não surgir nenhum imprevisto e que estejamos em Santa Cruz às sete horas, o vôo para Buenos Aires será de três horas. Acrescente o trajeto até seu apartamento e o tempo necessário para nos vestirmos. Duvido que conseguiremos nos apresentar antes da meia-noite.

— Sim, valerá a pena. Meia-noite será um horário perfeito. Todos já terão chegado e ninguém terá saído. É considerado falta de cortesia aos anfitriões a despedida antes das três horas. — Luís deu uma piscada. — Faremos uma entrada triunfal.

O entusiasmo de Luís acabou contagiando-a. Por que não?

— Pretende se basear no conto de fadas e transformar a pobre Gata Borralheira em uma princesa? — Shantelle caçoou.

— Você nunca foi uma gata borralheira para mim. Jamais

repita isso. Não se menospreze. Sei que é errado odiar a própria mãe, mas eu odeio o que ela fez conosco.

O tormento que Shantelle viu nos olhos de Luís comoveu-a mais do que todas as explicações e justificativas que ele dera. Shantelle pensou em sua própria mãe e no amor com que ela sempre a tratara, ajudando-a e confortando-a, sem nunca pedir nada em troca. Apesar de todo seu dinheiro, Luís não era tão feliz quanto ela.

As confidências que Luís lhe fizera no tempo em que eram íntimos voltaram-lhe à mente. Ele nunca criticou a mãe abertamente pela maneira que o obrigara a assumir o lugar de Eduardo e suas responsabilidades, mas a insatisfação era evidente. Uma vez, Luís chegou a afirmar que invejava Alan por sua liberdade de escolha.

— Preciso partir as correntes que me ataram por todos esses anos — Luís murmurou e apertou-lhe as mãos. — Acompanhe-me à festa, Shantelle. Você não perderá seu vôo para a Austrália amanhã de manhã. Mas esta noite será nossa. Será nossa união final contra a injustiça.

Shantelle concordou com um gesto de cabeça.

Estavam de mãos dadas, mas o elo era muito mais do que físico. Uma forte corrente fluía entre eles, energizando-os.

De repente, nada mais importava.

Se Luís quisesse segurar suas mãos pelo resto de sua vida, ela deixaria.

CAPÍTULO XIII

O vermelho — Luís sugeriu.

— Tem certeza? — Shantelle perguntou, mais inclinada a ficar com o modelo preto de renda.

Ela estava fascinada com as roupas que Luís mandara buscar em uma das melhores butiques de Buenos Aires. Estava emocionada. Não apenas com as atenções de que ele a cobrira, mas principalmente por estarem no quarto que haviam dividido nos dias mais felizes de sua vida.

O prospecto de voltar à mansão dos Martinez contribuía para sua agitação, apesar da promessa de Luís de que não a deixaria sozinha nem sequer por um instante.

— É meu predileto. Além disso, não será uma festa como outra qualquer. Não será uma questão de pararmos de grupo em grupo e conversarmos com amigos.

— O que acha daquele vestido dourado? — Ela voltou ao assunto que mais a estava preocupando naquele momento.

— Use o vermelho — Luís pediu.

— O decote nas costas é pronunciado demais — Shantelle observou. — Chega à cintura.

— Você tem costas lindas.

A voz sedutora lhe causou arrepios. O coração bateu mais depressa. Ela sabia que Luís ainda a desejava. A noite anterior fora uma prova. Mesmo quando pensava que a detestava, Luís não conseguia evitar a atração que os impulsionava um para os braços do outro.

— Isso não significa que eu deva expô-las — retrucou.

Estava apreensiva. A vingança poderia surtir um efeito contrário. Afinal, a intimidade se aprofundaria com o decorrer da noite. Eles ficariam juntos. Teriam de se abraçar se dançassem.

E se o desejo os levasse novamente para a cama? O que Luís faria depois? Pediria que ficasse ou simplesmente a acompanharia ao aeroporto para que se reunisse a Alan e ao grupo de excursionistas e diria adeus?

— Seus cabelos esconderão quase a metade — Luís alegou.

— Pensei em prendê-los. Seria mais sofisticado.

— Não. Deixe-os soltos e use o vestido vermelho. E agora vou deixá-la para que possa se arrumar.

Ela o ouviu respirar fundo antes de sair e fechar a porta para se acomodar no quarto ao lado. Estava se portando como um cavalheiro. Não a pressionara. Pedira uma noite em nome da justiça. No fundo, porém, ela esperava que fosse mais do que isso. Teria o direito de sonhar?

Céus! Já não bastava o sonho que acalentara na noite anterior? Precisaria estar fora de seu juízo para se expor outra vez. O melhor que tinha a fazer era parar com as conjeturas e se arrumar como Luís havia pedido. Não havia tempo a perder.

Tomou um banho rápido e estava se maquilando quando a imagem dele tornou a invadir seus pensamentos. Exceto pelo toque em suas mãos, Luís não havia demonstrado nenhum interesse sexual com relação àquela noite.

Negócios inacabados, fora a explicação que dera a Alan quando pediu que seu irmão os deixasse no aeroporto de Santa Cruz antes de levar o grupo para o hotel.

— É o que você quer, Shantelle? — Alan quis ouvir a resposta da própria irmã. E ao ter a resposta, dirigiu-se aos clientes e contou sobre o imenso favor que Luís lhes fizera ao emprestar o ônibus, e que eles tentariam retribuir esse favor ajudando-o a chegar a tempo a um evento importante em Buenos Aires.

Ninguém protestou.

No momento que o ônibus parou, um homem foi ao encontro de Luís para escoltá-lo ao avião das Empresas Martinez. Ele entregou a Luís uma pasta, provavelmente contendo documentos, e depois cuidou da bagagem de Shantelle.

O pessoal acenou para eles do ônibus, aliviados porque o pesadelo havia chegado ao fim. Alan despediu-se e lhes desejou sorte.

O avião levantou vôo sem demora e logo que atingiram uma altitude segura, um comissário serviu o jantar.

Shantelle estava tão cansada que mal tocou na refeição. Luís sugeriu que ela aproveitasse para dormir um pouco enquanto ele dava uma olhada na pasta que lhe havia sido entregue.

Shantelle dormiu durante quase todo o vôo. Além das dificuldades enfrentadas naquele dia, passara a noite anterior praticamente aos prantos.

Luís acordou-a quando a tripulação avisou para se prepararem para a aterrissagem. Ela pestanejou, mas logo recuperou os sentidos. Todos. A presença de Luís, barbeado e perfumado, sempre a deixava alerta.

Quase não resistiu ao impulso de tocar e de acariciar aquele rosto. Sua mão estava a caminho quando desistiu e afastou uma mecha de seus cabelos que havia lhe caído sobre a testa.

Aquilo não deveria estar acontecendo. Era uma tolice continuar desejando aquele homem.

O percurso do aeroporto até o apartamento de Luís deixara-a com a respiração suspensa. Não conversaram.

Estavam em um dos carros das Empresas Martinez, um Mercedes prata com bancos estofados de veludo.

Desde que concordara em acompanhar Luís à festa, ele a cercara de luxo. Não podia se deixar enganar. Seria apenas mais uma noite.

A última!

Shantelle realçou os olhos com uma leve camada de sombra marrom e deu brilho à pele com algumas pinceladas de pó e de blush. Os lábios receberam os traços feitos por um lápis apropriado e foram preenchidos por um batom vermelho, do tom exato ao do vestido.

Shantelle receou, de repente, que a imagem que as pessoas teriam dela seria a de uma mulher fatal. Mas preferiu confiar em Luís dessa vez. Escovou os cabelos com renovada energia. Eles estavam sedosos e brilhantes, caindo em ondas sobre os ombros desnudos.

Satisfeita com o resultado, enrolou-se em uma toalha e encaminhou-se para o quarto. Luís não estava lá. Não queria fazê-lo esperar. Vestiu-se o mais depressa que pôde.

O vestido era deslumbrante. O tecido era macio e entremeado com fios prateados. O corte era oriental e seu caimento era perfeito. Justo. Na altura dos joelhos, abria-se para facilitar seus movimentos.

As alças eram finas e prateadas. O decote deixava parte dos seios à mostra. Shantelle sentiu-se constrangida por um momento, mas quando colocou o colar de várias voltas, o efeito foi espetacular. Estava sexy, mas também elegante e clássica.

Sandálias prateadas de salto alto e uma bolsa pequena também prateada completavam o conjunto.

Ficou alguns instantes parada diante do espelho, perplexa com a transformação realizada pelo poder do dinheiro.

Faltava apenas guardar o batom, o pente, dois lenços de papel e alguns trocados na bolsa, para qualquer eventualidade.

Faltavam dezessete minutos para meia-noite no relógio sobre a mesa-de-cabeceira. Se Luís estivesse pronto, seu cálculo teria sido acurado. À meia-noite eles estariam entrando na mansão de sua família.

Encontrou-o a sua espera no meio da sala, com um copo na mão. O impacto da visão a fez parar. Ele estava lindo de smoking. Alto, moreno e sofisticado. Poderia haver homem mais perfeito? Poderia permitir que aquele homem se afastasse de sua vida? Ele era o único que queria. E que não podia ter...

— O sol, a lua e as estrelas...

A voz rouca de Luís provocou-lhe um arrepio. Ele deveria ter falado algo antes, mas ela não conseguira ouvi-lo, pois estivera perdida em divagações.

85

Os olhos de Luís pareciam os mesmos de antes, quando ele a fitava com paixão e com ternura. Ela se deixou embalar pela saudade e pela esperança por um momento. Mas então ele sorriu e havia cinismo outra vez em sua expressão.

— Você causará inveja em todas as mulheres presentes na festa. Como tinha de ser.

— Quero que se orgulhe de mim, Luís.

Ela se arrependeu do que disse. Luís estava interessado apenas em se vingar da mãe e de Cláudia Gallardo. A impressão que ela causaria nos membros de seu círculo social não importava. Ela, contudo, não queria ser reprovada no que considerava um teste. Queria ser aceita no mundo de Luís ao menos uma vez.

— Espero que não esteja se sentindo desconfortável. — Luís ficou sério de repente. — Talvez eu não devesse tê-la pressionado a usar algo que não era de seu gosto.

— Eu gostei do vestido — Shantelle apressou-se a declarar.

A preocupação transformou-se em um sorriso de prazer.

— Ainda bem. Em minha opinião, você está perfeita. Serei olhado com inveja por todos os homens presentes.

Ainda sorridente, Luís colocou o copo sobre a mesa e se dirigiu à porta, que abriu com uma mesura.

— Vamos, Cinderela. Está na hora de irmos para o baile.

Um riso nervoso brotou dos lábios de Shantelle à medida que ela forçava suas pernas a caminharem. Elvira Rosa Martinez não era exatamente sua madrasta e Cláudia Gallardo não era sua meio-irmã malvada, mas ela mal podia esperar para ver suas caras quando percebessem quem estava de braços com o príncipe aquela noite.

O Mercedes prateado estava à espera deles. Luís lhe abriu a porta e aguardou que se acomodasse antes de dar a volta e ocupar o lugar ao lado dela.

Estavam prontos para o desfecho da peça. Mais alguns minutos e subiriam ao palco, Shantelle pensou. Estava ansiosa por ver como as pessoas reagiriam à chegada de Luís, herdeiro de uma das maiores, senão a maior fortuna da Argentina, que estava prometido à herdeira de outra grande fortuna.

— Você não me falou sobre a família Gallardo — Shantelle lembrou. — Isso não prejudicará seus negócios com eles?

— Nada importa, Shantelle, exceto nós dois.

A rispidez que Shantelle detectou na resposta a fez franzir o rosto. Tentou estudar o perfil de Luís, mas ele parecia estar usando uma máscara. Sua aparência era calma, mas não se deixou enganar.

— Não tema por mim, Shantelle — Luís assegurou. — O que quer que aconteça esta noite, quero que pensem em mim como dono de minhas próprias vontades e não como um joguete nas mãos de minha mãe.

— Eu estranho esse seu lado. Você nunca o mostrou para mim.

— Eu queria que você me conhecesse apenas como homem, não como empresário.

— Não creio que os dois possam ser separados.

— Eu estava errado. Você fez com que eu descobrisse isso. Sou-lhe grato, Shantelle. Um homem não pode viver a vida de outro. Ele precisa ser verdadeiro consigo mesmo.

Shantelle percebeu que não se tratava apenas de uma questão de justiça para Luís. Aquela noite significaria sua libertação. E ela era o pivô de tudo.

Uma onda de pânico invadiu-a naquele instante. Mas logo recuperou o controle. Não era por causa dela apenas. Era por ele próprio. Luís não estava feliz. Não deveria se sentir feliz havia anos. O breve interlúdio amoroso de dois anos antes fora um simples parêntese em sua vida onde só existia lugar para responsabilidades.

O que teria representado realmente para ele? Uma espécie de tábua de salvação, uma válvula de escape no meio repressor onde nascera, um refúgio para seu cansaço e inconformismo?

Ela não conhecia Luís por inteiro. Amara-o à primeira vista. Ainda o amava. Movida por um impulso irrefreável, apertou-lhe o braço.

— Estou com você esta noite, Luís. Estarei a seu lado para o que der e vier.

Antes que ela tivesse tempo para afastar a mão, ele a prendeu, transmitindo-lhe uma energia que vibrou por todo seu corpo.

— É uma promessa?

— Sim.

— Então é verdade que o sol, a lua e as estrelas estão brilhando para mim.

Ele a surpreendeu com um riso espontâneo e depois com o beijo que deu em sua mão.

— Eu agradeço, mas não tenho o direito de lhe cobrar nada. Sinta-se livre para mudar de idéia, se achar necessário.

A resposta de Luís a fez curvar os ombros como se um peso tivesse sido colocado sobre eles. Fora uma tola em se deixar embalar novamente por uma tênue esperança. Luís não queria que ela se sentisse presa a ele. A parceria valia apenas para o propósito comum de cobrarem uma dívida. Ele não poderia ter sido mais claro.

O motorista diminuiu a marcha à medida que se aproximavam dos altos portões de ferro que protegiam a mansão dos Martinez.

Shantelle sentiu o ar lhe faltar.

A construção greco-romana com suas colunas e elaboradas cornijas estava toda iluminada, desde os magníficos jardins. Os acordes musicais invadiam a noite pelos terraços abertos. A recepção deveria estar no auge.

O Mercedes parou diante do lance de escada que levava à porta principal. Era tão imponente que parecia conduzir à sala de uma rainha. Restava saber se a rainha Elvira Rosa Martinez continuava colocando seus interesses acima da felicidade do filho.

O motorista abriu a porta. Shantelle ajeitou o vestido para poder sair.

Estava tremendo. Lembrou-se que vermelho significava perigo.

Mas era tarde demais para recuar. Dera sua palavra.

Luís segurou-lhe a mão e a fez apoiá-la na curva de seu braço em uma atitude possessiva.

— Está pronta? — perguntou.

— Sim — respondeu, com a respiração suspensa.

Subiram os degraus de braço dado.

Em algum lugar, perto dali, um relógio bateu as doze badaladas.

CAPÍTULO XIV

—— S eñor Martinez! — A surpresa no rosto do mordomo fez par com a surpresa contida em sua voz. — Não o esperávamos — ele balbuciou ao mesmo tempo que olhava, confuso, para Shantelle, que, sem dúvida, era menos esperada ainda.

— Tive sorte e consegui escapar de La Paz — Luís explicou.

— Sua mãe ficará... — Ele se deteve. Teria dito contente ou radiante em outras circunstâncias. Mas não sabia o que pensar com relação à jovem a sua frente.

— Quero lhe apresentar minha acompanhante, srta. Shantelle Wright. Shantelle, este é...

— Carlos — ela interrompeu-o. — Nós já nos conhecemos. O senhor serviu-me um almoço dois anos atrás, lembra-se?

— Sí, srta. Wright — Shantelle respondeu, constrangido.

— Queiram me desculpar. Devo anunciar sua presença.

Luís o impediu.

— Não, Carlos. Quero fazer uma surpresa a minha mãe.

— Mas...

— Finja que não me viu, está bem? Não será responsabilizado por nada.

— Sí, señor.

O mordomo se afastou e Luís conduziu Shantelle pela galeria que terminava no salão de baile. Os quadros com molduras douradas e os objetos de arte que tanto chamaram a atenção de Shantelle no passado, agora quase lhe passaram despercebidos, tanta era sua apreensão.

Os dois subiram outro lance de degraus. A música ficava cada vez mais alta. Estavam tocando um tango.

— Lembra-se dos tangos que dançamos juntos? — Luís perguntou.

Ela fitou-o, corada. Como poderia ter esquecido? Luís lhe ensinara os movimentos daquela dança sensual, em particular. E quando ela terminara, fizeram amor apaixonadamente.

Os olhares se travaram. Shantelle percebeu que Luís estava pensando o mesmo que ela.

— Como poderia esquecer? — Shantelle respondeu com um fio de voz.

— Poesia e fogo.

Shantelle assentiu com um gesto de cabeça. O histórico da dança falava em tragédia, em amores mal-sucedidos.

— Você dançaria um tango comigo esta noite? — ele perguntou.

O fôlego quase faltou a Shantelle. Para ela, o tango estava associado ao desejo. Seria prudente desafiar o destino quando não havia futuro com Luís?

— Sim, mas você não acha que o momento não é apropriado?

— O momento não poderia ser mais apropriado para a poesia e para o fogo — Luís respondeu.

O *Inferno* de Dante assaltou a mente de Shantelle. Estava receosa. Luís parecia decidido a enfrentar sua mãe a qualquer preço.

Uma vez ele havia chamado aquela mansão de mausoléu, mas ao menos naquela noite, a casa não poderia estar mais cheia de vida.

Quando entraram no salão, foram imediatamente notados por vários grupos. As conversas pararam. As cabeças se voltaram para a porta. Shantelle sabia que era ela o alvo da curiosidade geral. Os burburinhos começaram.

Um homem se destacou entre os convidados e veio em direção a eles. Era Patrício, o irmão caçula de Luís.

— *Dios!* — ele exclamou. — Por que não nos avisou que viria, Luís?

Patrício se posicionou de forma a impedir que o irmão prosseguisse em seu trajeto. Era mais baixo e mais magro do que Luís, mas exalava uma força que o tornaria um adversário de respeito, se ele assim quisesse.

Ele usava bigode, o que lhe dava um certo ar de descaso. Mas Shantelle sabia o suficiente sobre Patrício para não se deixar enganar. Ele era um brilhante homem de negócios. Administrava as empresas da família, no âmbito da agricultura, com eficiência.

— Afaste-se, Patrício — Luís ordenou.

— Pensamos que você estivesse em La Paz — o irmão murmurou, confuso.

— Saia de meu caminho — Luís repetiu. — E, por favor, cumprimente Shantelle. Você a conhece.

— Shantelle? — Patrício pestanejou. — Eu não a reconheci. Eu... não estou entendendo.

— Não precisa entender — Luís dispensou-o.

— Você disse que qualquer membro da família Wright seria considerado *persona non grata* — Patrício lembrou.

— Cometi uma injustiça. Não foram eles que me traíram.

— Este não é o momento, nem aqui é o lugar para você consertar seu erro — Patrício declarou.

— Penso de outra maneira.

— Enlouqueceu? A família Gallardo em peso está aqui. Você não pode se apresentar com outra mulher.

— Oh, sim, eu posso.

A determinação na voz de Luís deixou o irmão perplexo.

— Não quero que se sinta ofendida, Shantelle — Patrício continuou —, mas a situação é delicada. Minha mãe pretende anunciar...

— Ela não fará isso — Luís interrompeu-o. — Liguei de La Paz para avisar sobre a situação e disse que marcaria uma outra data porque não estaria aqui hoje.

Patrício balançou a cabeça.

— Sua ausência não faria nenhuma diferença, Luís. O comunicado será feito assim que a orquestra terminar essa música.

— Eu deveria ter me lembrado de que ela não hesita diante de nada quando deseja algo — Luís falou mais consigo mesmo do que com o irmão.

No instante seguinte, ele estava segurando Shantelle pelo braço e puxando-a.

— Não faça isso! — Patrício implorou. — Será um escândalo.

— Ela não me deixou escolha.

— Deixe-me cuidar de Shantelle. Você procura mamãe e fala com ela.

— Não — Luís recusou com firmeza. — Ela precisa entender que não tem o direito de governar minha vida e que isso acabou de uma vez por todas.

— Luís? O que está acontecendo? — Shantelle indagou. — Você disse que sua mãe estaria oferecendo uma recepção, mas parece que o evento encerra um motivo especial.

— O noivado de Luís com Cláudia Gallardo está prestes a ser anunciado — Patrício contou.

— Não! — Luís protestou. — Não permitirei que isso aconteça.

Shantelle sentiu o chão abrir sob seus pés. Luís havia lhe escondido a razão da festa.

— Você sabia... Você me trouxe aqui... Oh, meu Deus!

— Não fui *eu* que marquei a data com Cláudia. Não pedi que ela fosse minha noiva.

— Mas deixou que elas pensassem que estava disposto a participar do jogo — Patrício acusou.

— Houve um blefe — Luís retrucou. — Quero minha vida de volta. Se o poder significa tanto para você, estou tirando os sapatos de Eduardo e colocando-os em seus pés.

Patrício hesitou.

— Não quero isso para mim.

— Então não me pressione.

— Luís, isso está errado — Shantelle interrompeu-os. — Você não me contou nada.

— Por que está tão preocupada? Por acaso Cláudia pensou em seus sentimentos? Minha mãe nos respeitou? — Luís

93

olhou para Shantelle e para Patrício com decepção. — Você disse que me apoiaria. Será que não posso contar com ninguém?

Os olhos de Luís a fitavam súplices, abalando sua resistência. Afinal, ela fazia parte do esquema de traição que o atingira no passado e a culpa ainda a corroía por dentro. Por outro lado, dois erros não resultavam em um acerto e Luís não mencionara nenhum tipo de envolvimento com Cláudia.

— Você repetiu o erro ao me esconder um fato demasiado importante, Luís — Shantelle respondeu, incapaz de relevar o acontecimento.

— A sede de justiça era mais importante — ele declarou.

A idéia de que Luís pudesse ter cortejado, beijado Cláudia de repente foi demais para Shantelle.

— Vocês fizeram amor alguma vez?

— Nunca! Nunca senti o menor desejo por ela — Luís garantiu. — Nunca houve nenhuma intimidade entre nós.

— Então, como seu noivado com ela está prestes a ser anunciado?

— Porque eu acho que me casaria com qualquer mulher que minha mãe escolhesse. Nunca mais me interessei por ninguém depois que você me deixou.

Ele a estava acusando! Aquele, afinal, era um caso de justiça ou de vingança?

— Luís, a orquestra parou de tocar — Patrício observou.

— Shantelle, estou sozinho ou estamos juntos? — Luís indagou com uma expressão nos olhos que tocou-a no fundo da alma.

Naquele instante, Shantelle decidiu desistir de compreender. Se significava tanto para Luís que ela o apoiasse, mesmo que estivesse usando-a para conquistar sua liberdade, ela o apoiaria. Assim, ao menos estaria expiando uma parte de sua culpa em tê-lo deixado sem explicar seus motivos.

— Estou com você.

Ele deu um longo suspiro. Em seguida a conduziu por entre a pequena multidão. As vozes abafadas eram um prenúncio do escândalo que estava prestes a acontecer.

Luís e Shantelle terminaram de percorrer a galeria e estavam se preparando para entrar no salão de baile quando Patrício se colocou do outro lado de Shantelle de modo a completar a escolta.

— É melhor você sumir de vista — Luís avisou.

— Não.

— Esta briga é minha.

— Não sei exatamente o que está por trás de sua atitude, Luís, mas se você está descalçando os sapatos de Eduardo, preciso deixar claro a nossa mãe que não aceitarei que tente calçá-los em mim. Eu também estou com você.

— Trata-se de um assunto pessoal.

— Três são mais fortes do que dois.

— Você tentou me deter há poucos instantes.

— Não sabia o que estava fazendo.

Entraram no salão ao som de *Don't Cry for Me, Argentina*. Shantelle sentiu todos os olhares se voltarem para ela. Ergueu a cabeça.

Do outro lado do salão, uma voz, que Shantelle jamais esqueceria, e que pertencia à mulher mais rica e dominadora que já conhecera, soou ao microfone.

— Meus amigos, obrigada por terem vindo aqui esta noite. É um grande prazer recebê-los, para que se juntem a mim na comemoração de um evento muito especial. Infelizmente, meu filho, Luís, não pôde comparecer porque ficou detido em La Paz.

— Luís está aqui, *madre* — Patrício anunciou.

A cena que se seguiu fez lembrar a separação das águas por Moisés. O mar de pessoas se abriu diante dos três de forma que se formou um caminho na pista de dança até o palco onde se encontrava Elvira Rosa Martinez.

Ela estava linda com um vestido azul-royal, um colar de ouro, brincos e pulseiras, todos com o mesmo *design*. A mão que segurava o microfone estava coberta de anéis. Mas o sorriso havia desaparecido daquele rosto.

Luís não estava sozinho.

Ele não estava acompanhado apenas pelo irmão caçula.

Ele estava com uma mulher que não havia sido escolhida por ela.

Shantelle não tinha meios de adivinhar se a anfitriã a reconhecera, mas a mensagem que qualquer um naquele local poderia ler era que uma disputa de poder e de orgulho estava acontecendo entre os membros daquela família.

CAPÍTULO XV

Um silêncio pesado caiu sobre todos. O tempo pareceu parar na mansão dos Martinez. As paredes espelhadas do salão de baile refletiam uma cena onde nada nem ninguém se movia. No alto, os lustres de cristal brilhavam. Era a única impressão de vida no ambiente.

Como se tivessem ouvido um sinal, Luís, Shantelle e Patrício deram um passo. E a esse passo seguiram-se outros. Não havia pressa, apenas dignidade e determinação.

O som daqueles passos ecoaram pelo salão como uma ameaça. Luís e Patrício estavam mergulhando em um futuro desconhecido. Arriscavam tudo com aquela atitude. Eles poderiam ser deserdados naquela tentativa de conquistarem a liberdade.

A mãe os encarava com hostilidade. Eram seus próprios filhos e ousaram se rebelar contra sua vontade.

Shantelle sentiu o coração bater mais forte.

O que faria aquela mulher? Tentaria detê-los? Teria pressentido que eles estavam convictos de seus passos? Que aquele era um caminho sem volta?

Estavam próximos ao palco quando Shantelle percebeu um brilho de reconhecimento no olhar de Elvira.

Por fim, Shantelle pensou.

A mulher olhou para o lado. Shantelle acompanhou esse movimento. Ali, do lado direito do palco, estava Cláudia Gallardo cercada por seus familiares. Ela estava toda de branco, como uma noiva virgem. Quem a visse não poderia imaginar que sua mente calculista fora capaz de sacrificar sua integridade em nome de um casamento de conveniência.

Ciente da curiosidade que assaltara todos os convidados, Elvira tentou atrair a atenção novamente sobre ela.

— Bem, isso é o que chamo de uma grande surpresa. Parece que nem sequer uma revolução pôde impedir que Luís se reunisse a nós esta noite. Por favor, peço que me dispensem por um minuto para que eu possa dar as boas-vindas a meu filho, em particular.

Com um gesto, Elvira convocou os músicos para que continuassem a tocar. Depois de se livrar do microfone, encaminhou-se para o lado esquerdo do palco. Por certo queria trocar algumas palavras com Luís longe dos ouvidos da família Gallardo.

Mas Luís não obedeceu sua ordem muda e se encaminhou para o lado direito. Patrício não hesitou. Shantelle pensou que ambos estavam dispostos a marchar até as linhas inimigas para defenderem sua liberdade.

Os membros da família Gallardo estavam ansiosos. Shantelle cogitou se eles estariam a par das manobras de Elvira e de Cláudia. Ela apostaria que sim. Havia muito dinheiro em jogo.

Que tal, Cláudia, ter de encarar a mulher que julgou ter destruído? Estar diante da mulher a quem mentiu? É bom ver sonhos serem transformados em pó?

As respostas não tardaram.

Primeiro, a moça manifestou surpresa. Depois, raiva.

— Vejo que você resolveu voltar para sua estrangeira loura — ela esbravejou.

Shantelle mordeu o lábio para não retrucar. Aquela briga era de Luís. Bastava estar ao lado dele.

— Sim e aconselho-a a explicar a sua família o porquê deste meu comportamento.

— Explique *você* — exigiu o homem que estava ao lado de Cláudia. — Você nos humilhou publicamente. Jamais o perdoarei por isso.

— Esteban, sua filha e minha mãe se uniram para destruir o que tive de mais precioso em minha vida. Não me fale em perdão.

Shantelle sentiu os olhos marejarem ao ouvir Luís se referir a ela como o bem mais precioso que tivera em sua vida. Seu arrependimento foi maior do que nunca.

— De que você está falando? — O pai de Cláudia indagou.

— Patrício, você pode me explicar?

— Meu irmão está certo — Patrício afirmou. — A verdade precisa ser contada.

— Nós tínhamos um acordo! — Esteban protestou.

— Feito sobre traição e mentiras! — Luís acusou.

— Pode provar o que diz?

— Por que não pergunta a sua filha? Isso, é claro, se você já não foi colocado a par da trama que ela urdiu com minha mãe para unir nossas famílias.

Esteban Gallardo ficou rubro de cólera.

— A que você está se referindo?

— Pergunte a sua filha, Esteban.

Luís curvou a cabeça em sinal de respeito e se afastou para o outro lado do palco, uma vez que a mãe se recusara a participar da desagradável cena.

Cláudia tentou insultar Shantelle, mas o próprio pai fez com que se calasse e não o envergonhasse ainda mais.

Luís Angel Martinez era um homem honesto e valente, Shantelle pensou, orgulhosa. Fora uma tola em não lhe ter dado a chance de provar quem era dois anos antes.

Forçou-se a engolir as lágrimas. Errara muito. Assim mesmo, Luís ainda a queria a seu lado. Estaria lhe dando forças agora para reagir contra o domínio da mãe?

As pessoas estavam olhando. Elvira, porém, estava se portando com naturalidade, como se nada tivesse acontecido do outro lado do palco.

— Ela é irmã de um velho amigo de Luís — Shantelle imaginou-a dizendo aos convidados que se encontravam ao seu redor. — Devem ter se encontrado por acaso em La Paz. Ela e o irmão são donos de uma agência de turismo.

Mas quando percebeu que o trio estava se aproximando dela, Elvira se desculpou. Não admitiria que a conversa que pretendia ter com os filhos fosse ouvida por outros.

Shantelle se preparou para a batalha. Elvira certamente desferiria seu ataque em quem considerava o ponto vulnerável. Era de vital importância não demonstrar fraqueza. Luís contava com ela para apoiá-lo. Precisava portar-se de forma a provar ao júri que merecia estar sendo escoltada pelos dois irmãos Martinez.

— Por que não me procurou antes, Luís? — a mãe perguntou, zangada.

— Você não me procurou há dois anos.

— Foi para seu próprio bem. Se tivesse bom senso, reconheceria isso.

— E para meu próprio bem, você quis me unir a uma mentirosa fria e calculista! Ora, por favor!

— Não permitirei que jogue fora tudo pelo que trabalhei durante minha vida.

— Suas necessidades não são as mesmas que as minhas. Aceite-me por quem sou ou acabará sozinha.

Elvira Rosa Martinez não admitiu o desafio. Virou-se imediatamente para o filho caçula.

— Patrício...

— Não — ele respondeu, decidido. — Não aceitarei a carga que colocou sobre os ombros de Luís. Estou satisfeito em ser como sou.

Chocada, a mulher dirigiu-se a Shantelle.

— Como podem estar se voltando contra mim por causa dessa jovem insignificante?

— E você, mamãe — Luís retrucou —, como pôde me fazer seu prisioneiro?

— Como se atreve a falar assim comigo?

— Como *você* se atreveu a me negar meu direito à felicidade?

Elvira ergueu a cabeça de um modo arrogante.

— Ela nem sequer é argentina.

— A nacionalidade não importa, mamãe. Ela é a mulher que amo.

Shantelle parou de respirar. Teria ouvido bem? Luís a amava?

— Alguma vez amou alguém, mamãe? — Luís continuou.

— Pare com isso! — ela ordenou, pálida. — Se eu não os amasse, não tentaria protegê-los.

— Não precisamos dessa forma de proteção, mas de respeito.

— Eduardo não teria feito isso comigo.

— Eduardo se foi, mamãe. Mas você ainda tem a mim e Patrício. E nós queremos viver nossas próprias vidas de agora em diante. Com ou sem sua aprovação. O que será, mamãe?

— Eu...

— Um momento. — Luís se dirigiu a Shantelle. — Agora é sua vez.

Shantelle pestanejou. Patrício segurou a mãe pelo braço.

— Vamos ouvir o que Shantelle tem a dizer, está bem?

Ela não ouviu a resposta de Elvira. Estava atônita. O que Luís ainda pretendia fazer?

Ele a segurou pela mão e começou a andar em direção ao centro do palco.

— Você ficou satisfeita? Acha que eu disse tudo que devia?

As palavras de Luís não faziam sentido para ela. Fez um sinal afirmativo com a cabeça.

— Acho que sim.

— Não — ele protestou. — Eu a maltratei ontem à noite. Estou lhe dando a chance agora de fazer comigo o que acha que mereço.

Luís estava assustando-a.

— Não estou entendendo.

— Então aceite o presente que quero lhe dar.

— Que presente?

— Você verá daqui a pouco.

Luís fez um sinal para que a orquestra parasse a música. As conversas e risos cessaram. A família Gallardo não havia se retirado. Elvira Rosa continuava junto ao palco com o filho Patrício.

De repente, o silêncio foi tão grande que seria possível ouvir um alfinete cair.

Luís apertou a mão de Shantelle. Ela ergueu os olhos para ele. Como se esperasse por esse sinal, Luís sorriu. Em seguida, dirigiu-se aos convidados:

— Senhoras e senhores...

CAPÍTULO XVI

Shantelle olhou para a elite da sociedade argentina. As senhoras e senhores aos quais Luís se dirigia eram pessoas importantes para o andamento dos negócios da família Martinez e para ele próprio.

Luís respirou fundo antes de continuar e saciar a ávida curiosidade de todos os presentes. Uma forte tensão assaltou-a. Não queria ouvir mais nenhuma referência ao que acontecera na noite anterior. Não queria nenhuma declaração pública que só serviria para humilhar a ambos. Detestaria se Luís insistisse nisso.

A voz grave e profunda ecoou pelo salão.

— Tenho muito orgulho em lhes apresentar uma mulher que é um exemplo de bondade e de coragem, srta. Shantelle Wright.

Shantelle sentiu que corava diante do interesse que Luís estava despertando nos presentes por sua pessoa.

— O irmão de Shantelle, Alan, é um velho amigo meu — Luís prosseguiu. — Ele trabalhou comigo em nossa empresa de mineração no Brasil e mais tarde tornou-se um bem-sucedido homem de negócios com sua agência de turismo especializada em excursões à América do Sul, tendo Buenos Aires como o ponto principal de embarque e desembarque. O que, incidentalmente, é muito bom para nosso país à medida que aumenta nossa captação de dólares.

Um murmúrio de aprovação se espalhou pelo salão. Shantelle respirou, aliviada. Era evidente que Luís sentia necessidade de explicar a razão de sua presença na festa.

— Na noite passada, Shantelle teve a idéia de tentar conseguir um ônibus para retirar seu grupo de turistas de La Paz, pois muitos estavam ressentindo a altitude da cidade.

As pessoas continuavam interessadas no relato, mas Shantelle estava trêmula. Quantos outros detalhes Luís pretendia fornecer a seu respeito?

— Hoje — ele fez uma pausa para aguçar ainda mais a curiosidade geral —, esta linda senhorita salvou-me ao me livrar da mira de um tanque. Devo minha gratidão a seus espetaculares cabelos loiros.

O comentário bem-humorado provocou risadas.

O sorriso de Luís acentuou.

— Eu retribuí esse favor, fazendo com que o ônibus saltasse sobre uma trincheira aberta por camponeses. O clima de revolta é geral na Bolívia, podemos dizer, mas nós conseguimos escapar.

Dessa vez, a informação foi recebida com uma salva de palmas e Shantelle viu-se sorrindo também. Luís era incrível. Ele havia conseguido transformar um pesadelo em uma história capaz de divertir os ouvintes. Ao mesmo tempo, estava tornando a parceria entre eles algo perfeitamente aceitável.

As palmas cessaram, mas as pessoas continuavam imóveis, prontas para ouvirem o restante do caso.

— Tenho o prazer de dizer que a longa viagem que nos trouxe até aqui esta noite envolveu mais do que sobrevivência. Há dois anos, devido a problemas de natureza pessoal, Shantelle decidiu, contra minha vontade, que não havia possibilidade de nós dois vivermos juntos.

Shantelle quase entrou em pânico. Oh, não. Ele não podia fazer isso. Não podia expôr a mãe e Cláudia.

— Hoje, quando nossas vidas estavam em perigo — Luís continuou —, descobrimos que aquelas circunstâncias não tinham mais nenhum significado.

Como Luís podia estar dizendo aquilo? Se estavam naquela festa era para fazer justiça em decorrência *daquelas* circunstâncias!

Agitada, Shantelle tentou fazê-lo calar com um sinal. Ele respondeu, apertando-lhe a mão com mais força.

— Portanto, é diante de todos vocês que quero declarar meu amor por Shantelle. Ela é a mulher com quero passar o resto de minha vida.

Shantelle estava confusa. As lágrimas não a deixavam ver nada com clareza. Nem sequer Luís. Não entendia aonde ele queria chegar com aquele anúncio.

— Shantelle, você quer ser minha esposa?

A compreensão atingiu-a como um raio. Seria casamento ou nada.

Luís estava se sentindo endividado com ela. Aquilo parecia uma forma de ficarem quites pela omissão do passado e pela noite anterior quando ele a maltratara.

Mas Luís a valorizara diante das pessoas mais influentes da Argentina e estava lhe oferecendo seu nome.

Para se expôr como Luís estava fazendo, para arriscar tudo como ela fizera na noite anterior, embora de um modo diferente, ele precisava estar sendo movido pelo amor.

Não soube o que pensar.

Luís estava esperando sua resposta. Todos a aguardavam. Ela tentou falar, mas não conseguiu. Mas era importante vencer o pânico. Seria incapaz de humilhar Luís diante daquela gente. Precisava falar.

Umedeceu os lábios com a ponta da língua. Respirou fundo. Finalmente disse o que tinha de dizer.

— Sim, Luís, eu quero ser sua esposa.

As palavras vibraram pelo microfone. Houve um instante de perplexo silêncio. Então, alguém começou a aplaudir.

O som parecia vir do lado do palco onde estavam Elvira Rosa Martinez e seu filho, Patrício. Impossível saber.

A ação provocou reação. O gesto foi imitado por outros. E mais outros. De repente, parecia que todos os presentes estavam aplaudindo.

Luís soltou a mão de Shantelle e abraçou-a. Shantelle esforçou-se para não soluçar. Sua vontade era rir e chorar ao mesmo tempo. O que nunca acreditara ser possível, estava acontecendo. Ela havia sido aprovada como noiva de Luís e como sua futura esposa.

— *Gracias. Muchas gracias.*

Talvez fosse a distorção causada pelo microfone, mas a voz de Luís soou comovida. Ambos estavam emocionados com a franca aceitação dos presentes. O que os teria levado realmente a isso? O fato de Luís ser um personagem popular em Buenos Aires? Ou fora sua sinceridade ao narrar um caso de amor antigo e complicado que renascera diante de uma situação de perigo?

Era um romance...

Uma história de fadas...

Cinderela fora escolhida pelo príncipe.

Os pensamentos eram tantos e tão desencontrados que Shantelle sentiu uma leve tontura. Se Luís não a estivesse abraçando, talvez não tivesse resistido.

Ele prosseguiu.

— Quando paramos em Villa Tunari esta tarde, fiz uma ligação para Santa Cruz. Como vocês devem saber, a Bolívia produz as mais lindas esmeraldas do mundo e eu aproveitei a oportunidade para comprar um anel para Shantelle. De esmeralda, é claro, para combinar com seus olhos.

Shantelle mal podia acreditar. Durante toda a viagem, Luís estivera fazendo planos para levá-la à recepção em sua casa e para lhe propôr casamento! A pasta não continha papéis, mas jóias!

— Entregaram-me uma esplêndida seleção de anéis no aeroporto. Eu aproveitei e escolhi um quando Shantelle adormeceu durante o vôo para Buenos Aires. — Ele fez uma pausa e olhou para ela. — Por favor, Shantelle, aceite este símbolo de meu amor, de minha devoção e de minha confiança em nosso futuro.

Incapaz de reagir ao torpor que a invadira, Shantelle observou Luís tirar um pequeno estojo do bolso do paletó e colocar em seu dedo o anel mais lindo que já vira. Havia uma esmeralda no centro, rodeada por vários diamantes em formato de baguetes.

Luís tornou a falar ao microfone.

— Senhoras e senhores, acho que ela não esperava por isto.

A felicidade de Luís era contagiante. Muitas pessoas riram. Quanto a Shantelle, dizer que ela não esperava por aquilo era pouco. Estava atônita.

— Como os senhores ainda não conhecem minha futura esposa, quero informar que ela fala nosso idioma fluentemente, que sabe mais do que nós sobre nosso país e que sabe dançar tango com muita graça. Aliás, estou com vontade de dar uma pequena demonstração do que a ensinei a fazer agora mesmo.

A orquestra foi solicitada a se preparar para brindá-los com mais um número.

— Estão todos convidados — disse Luís — a se reunirem a nós na pista de dança em comemoração a esta noite inesquecível.

Ao ver Luís soltar o microfone, o responsável pela declaração se tornar tão pública, Shantelle cogitou se aquela atitude não fora uma espécie de chantagem. No fundo, ela havia sido usada mais uma vez. Ele a pressionara a aceitá-lo. Afinal, ele queria realmente aquele noivado? Ou fora a maneira que encontrara para fazer justiça?

Luís olhou para ela. Seus olhos estavam brilhantes. Ele vibrava de prazer ao segurar sua mão. Levou-a aos lábios e beijou-a como um cavalheiro. Depois a conduziu, segurando-a pela cintura, à pista de dança.

Os convidados continuavam atentos a eles. Talvez quisessem comprovar se ela sabia dançar o tango, como Luís afirmara.

Luís posicionou-se. Exalava autoconfiança. Shantelle mal podia respirar de tão acelerado que seu coração estava, mas seu orgulho conseguiu convencê-la a acompanhá-lo nos passos da dança.

Mas foi o abraço de Luís seu maior incentivo. Seus braços lhe deram toda a segurança de que precisava.

A orquestra tocou uma canção da década de cinqüenta. A escolha não poderia ter sido melhor. Os acordes eram vibrantes e dramáticos.

— Lembre-se de que este vestido não favorece movimentos bruscos — Shantelle murmurou.

Ele lhe deu o sorriso mais sexy que já vira.

— Meu controle será irrepreensível.

A afirmação provocou em Shantelle a vontade de desafiá-lo. Luís Angel Martinez deveria se preparar para exercer um controle ainda maior sobre seu corpo!

— Pronta? — ele perguntou, malicioso.

— Eu estou. Espero que *você* também esteja.

Luís deu os primeiros passos ao estilo tradicional. Shantelle seguiu-o, obediente. Quando ele executou um novo movimento, mais difícil e que exigia uma certa perícia, ela aproveitou para lançar seu desafio.

O desejo explodiu nos olhos de Luís. Ele abraçou-a e se inclinou sobre ela, obrigando-a a arquear as costas.

— Tenha calma — Shantelle provocou com um sussurro.

— Quero tudo a que tenho direito — Luís respondeu.

Uma onda de excitação invadiu-a. Luís a queria! E ela não fingiria o contrário. Ele lhe devia muitas respostas, mas se aquela noite fosse uma amostra da vida que teriam no futuro, não a desperdiçaria por nada no mundo.

Entregaram-se ao ritmo da música e ao calor que os unia. Os movimentos eram tão apaixonados que Shantelle teve medo de Luís não resistir e lhe fazer amor diante de todos.

Estavam arfantes quando a música terminou. Seus seios estavam comprimidos contra o peito dele, suas pernas estavam entrelaçadas.

Aquilo era apenas o começo, Luís estava lhe dizendo com os olhos. Mais tarde, eles se entregariam a uma outra espécie de dança ainda mais sensual!

CAPÍTULO XVII

Teria feito o bastante?

A pergunta assaltou Luís enquanto ele observava Shantelle dançando uma valsa com Patrício. Não um tango. Ele jamais permitiria que outro homem a convidasse para dançar um tango.

Mal podia esperar para ter Shantelle em seus braços, só para ele.

Admitia, porém, que o convite de seu irmão não poderia ter sido mais apropriado. Significara o apoio de sua família, o reforço de sua aprovação.

Seu plano havia funcionado. Por enquanto. Shantelle havia cumprido sua promessa de permanecer ao lado dele, mas a verdade era que ele não sabia o que ela estava pensando de tudo aquilo.

Suas palavras e atitudes a teriam compensado pelo que a fizera sofrer? Pelo modo desprezível que a tratara em La Paz? Teria sido suficiente?

Procurara fazer o melhor possível, Luís pensou. Não poderia mais viver sem Shantelle.

Precisava saber o que a impulsionara a aceitar seu pedido de casamento. Sua honra? Teria apenas cumprido sua palavra de cooperar com ele a fim de salvá-lo de uma humilhação em público? Ou seu amor por ele? Teria lhe dado uma chance de provar que estava arrependido e que ainda a amava e a queria a seu lado?

Luís esperava que fosse pelo segundo motivo. Isso lhe daria esperança.

A valsa estava terminando. Ele consultou seu relógio de pulso. Quase três horas. Já poderiam ir embora.

— Está impaciente, Luís? — caçoou um de seus amigos.

— Ninguém pode culpá-lo por isso — disse outro. — Uma mulher como sua noiva vira a cabeça de qualquer homem. Ela é linda, Luís.

— Sim, ela é muito linda — Luís concordou com um imenso sorriso.

Ele fez um gesto para um dos empregados e pediu que desse um recado para seu motorista para que o esperasse à porta da frente.

A maioria dos convidados deveria permanecer até o raiar do dia, Luís pensou. Não aconteceria o mesmo com ele ou com Shantelle. O dia havia sido longo e eles mereciam uma certa benevolência. Ninguém repararia, certamente, se eles se despedissem.

A família Gallardo havia feito uma retirada estratégica uma hora antes. Muito educado e inteligente, Esteban se despedira só depois de ter garantido que a amizade entre as famílias permaneceria inabalada. Problemas, quando surgiam, deviam ser discutidos em salas de reuniões, não em ocasiões festivas. Conservar amizades era quase tão importante quanto cultivar sociedades comerciais lucrativas.

Shantelle estava feliz. Não havia mais razão para sentir medo. Os amigos e conhecidos influentes de Luís a aceitaram. Mais do que isso, eles a cobriram de atenções e de cumprimentos.

Luís suspirou, aliviado. O resultado não poderia ter sido melhor. Fazer uma proposta de casamento em público fora a idéia mais brilhante de sua vida. Agora, talvez, Shantelle tivesse mais facilidade em acreditar em sua sinceridade.

Assim mesmo, ela custara a responder. Enquanto não conversassem a sós e ela confirmasse sua decisão de se casar com ele, não ficaria tranqüilo. Shantelle lhe prometeu apoio e não faltou com sua palavra. Quando dançaram juntos o tango, porém, houve mais do que apoio em seu comportamento. Ninguém se entregaria ao ritmo com tanto ardor e sensualidade se não houvesse desejo pelo parceiro.

A menos, é claro, que estivesse tão zangada a ponto de fingir.

Não podia acreditar nessa hipótese. Shantelle não demonstrara raiva em nenhuma de suas atitudes. Ao contrário. Ela foi graciosa e delicada em todas as apresentações, sorrindo para os convidados e incentivando-o para que não esmorecesse em sua decisão.

Admitia que havia a possibilidade de Shantelle ter representado por uma necessidade íntima de provar que era uma companheira à altura de sua posição social, visse ou não uma chance de futuro para eles.

A valsa terminou.

Ele se desculpou e foi ao encontro de Shantelle e de Patrício. Não queria que nenhum outro homem a tirasse para dançar. Ela era a mulher mais bonita da festa. Magnífica seria a descrição apropriada, ele pensou ao vê-la caminhando em sua direção com aquele vestido vermelho e prateado que realçava sua gloriosa feminilidade, seus cabelos que brilhavam como o sol, seu rosto que falava de uma personalidade vibrante.

Ela tem de ser minha...

O pensamento escapou de sua mente e se espalhou como fogo pelo corpo. Ele estendeu a mão e ela aceitou-a sem hesitar.

— Estamos de saída — Luís avisou Patrício. Não poderia ficar na festa nem sequer por mais um minuto. — Obrigado por seu apoio, Patrício.

O irmão fez um movimento com a cabeça.

— Da próxima vez, dê-me algum tempo para preparar uma estratégia melhor. — Ele piscou. — Devo admitir, porém, que seu estilo foi impecável. — Em seguida, Patrício segurou a mão de Shantelle e levou-a aos lábios em um gesto de galanteria. — Desculpe se não fui um bom parceiro na pista de dança. Seja bem-vinda à família. É um orgulho tê-la como noiva de meu irmão.

— Você é muito amável — Shantelle respondeu.

Quando trocaram um abraço de despedida, Patrício falou ao ouvido de Luís.

— Não vá embora sem falar com nossa mãe. Foi ela quem incentivou os aplausos no instante que Shantelle aceitou seu pedido de casamento.

A informação surpreendeu Luís.

— Pensei que tivesse sido você.

— Eu a imitei, mas os aplausos não partiram de mim.

— Ela fez isso apenas para salvar as aparências.

— Pode ser que sim. Mas também pode significar mais do que você imagina.

— É o que veremos — Luís respondeu. — Boa noite, Patrício.

— *Buenas noches*.

Luís acenou para os amigos à medida que se dirigia à saída. Apesar da recomendação do irmão, não pretendia procurar a mãe. Por que arriscar? Não queria que ela arruinasse uma noite que poderia chamar de perfeita até aquele instante.

— Bem, agora podemos ser nós mesmos outra vez — Shantelle disse com um suspiro assim que se viu a sós com Luís na galeria.

Ele franziu o rosto. O que significaria aquela observação?

— Espero que a justiça tenha sido feita — Luís murmurou.

— Você soube ser convincente. Chamou a atenção de todos, com certeza, quando tirou o anel do bolso.

— Você gostou? Acertei ao lhe comprar uma esmeralda?

Havia um sorriso indefinível nos lábios de Shantelle ao erguer a mão à altura dos olhos e admirar o anel.

— Foi um gesto extravagante. Serviu ao menos para convencer o público de suas pretensões.

Ela não acreditou em mim, Luís pensou.

Não esperava por isso. As palavras de Shantelle abalaram sua autoconfiança. O que mais poderia dizer ou fazer para convencê-la de sua sinceridade? Seu plano teria sido inútil?

A ansiedade o dominou. Desejava Shantelle. Demais. Não suportaria se ela o deixasse. Faltavam poucas horas para seu vôo de volta para a Austrália. Ele havia se deixado embalar pela esperança de que Shantelle fosse resolver ficar. Contou-as. Duas. Não havia um minuto a perder.

— Eu o comprei como um símbolo real, Shantelle. Não foi um gesto vazio. Imaginei que ele seria uma prova de meus sentimentos e que significaria mais do que palavras.

Luís sentiu as mãos de Shantelle contraírem. Ela baixou a cabeça. Ele ficou desesperado. Shantelle estava se distanciando. Estava se fechando e ele precisava trazê-la de volta.

Elvira Rosa interceptou-lhes o caminho. Luís encarou-a com raiva. Se ela não tivesse se intrometido entre eles dois anos antes, Shantelle poderia ser sua esposa.

— Luís, Shantelle, vocês estão indo embora?

— Sim. Não pretende nos impedir, não é? — Luís esbravejou.

A mãe parecia tensa, abatida, mas Luís não se deixou comover. Os danos que ela causara eram sérios demais para serem esquecidos.

Ela tocou-o no braço, algo que não era de seu feitio. Mas nem sequer essa tentativa de aproximação o comoveu. Ela era a culpada pelo inferno em que ele vivera naqueles dois anos. E se Shantelle não o quisesse...

— Sinto muito. Eu estava errada — ela reconheceu. Nem sequer o gesto de humildade fez Luís rever sua posição. Ela se voltou para Shantelle em seguida. — Por favor, não afaste meu filho de mim.

Luís quis gritar. Sua mãe era capaz de tudo para prendê-lo a seu lado.

— Eu jamais faria isso, *señora* Martinez. Nem antes, nem agora.

A respiração lhe faltou. Isso significava que Shantelle iria embora para sempre. Que ele a perdera definitivamente.

— Estou envergonhada...

Aquela admissão o fez encarar a mãe. Seria uma expressão de genuíno arrependimento ou apenas mais uma de suas tramas? Ela parecia ter envelhecido de repente. Parecia

113

cansada. Por mais que tentasse, Luís não conseguiu detectar a costumeira arrogância em suas atitudes.

— Espero que você consiga me perdoar um dia — ela disse, por fim.

— Patrício nos contou que as palmas partiram da senhora — Shantelle murmurou.

— Sim. Era o mínimo que eu poderia fazer. Juro que nunca pensei que Luís a amasse tanto. — A mãe olhou, súplice, para o filho. — Por favor, acredite em mim quando digo que desejo a vocês muitas felicidades.

Embora contra sua vontade, Luís ficou emocionado com o gesto da mãe. Talvez ainda houvesse esperança para eles de viverem unidos como uma família, sem que ela quisesse manipulá-lo.

— Obrigada — Shantelle agradeceu.

Luís hesitou. O que significava aquele agradecimento? Que Shantelle ficaria a seu lado? Ou aquilo era uma simples resposta de cortesia?

Luís apertou o braço de Shantelle.

— Falaremos em outra oportunidade, *madre*. Precisamos ir agora.

Elvira Rosa fez um movimento com a cabeça e se afastou para o lado para que eles passassem.

— Promova as pazes entre ela e Patrício, Luís — Shantelle pediu.

Luís sentiu o coração bater mais forte. Estava hesitante.

— Por favor — ela repetiu. — Quero partir tranqüila.

Luís fez menção de voltar para o salão. Mas não foi preciso. Patrício estava olhando para eles, de longe. Trocaram um sorriso que disse tudo.

— Você é incrível, Shantelle — Luís disse, comovido, quando ficaram a sós.

— Ela é sua mãe.

— E você? É minha noiva?

Shantelle baixou a cabeça e suspirou. Luís não se atreveu a respirar.

— Vamos embora, por favor.

Aquilo não era um não!

— Já mandei chamar o motorista. Ele deve estar nos aguardando na porta.

— Quanta eficiência!

Ela estava brincando com ele! Luís quase pulou de alegria.

CAPÍTULO XVIII

No interior do carro, Luís quase não resistiu ao desejo de abraçar Shantelle e de cobri-la de beijos apaixonados para afastar de vez qualquer dúvida que ela ainda pudesse ter sobre seus sentimentos. Mas sabia que não seria uma boa idéia. Não no carro, diante do motorista. Em poucos minutos estariam em seu apartamento. Então ele poderia tomá-la nos braços, sentá-la em seu colo e não precisariam se preocupar com nada nem com ninguém.

A menos que Shantelle...

Olhou para ela e tentou adivinhar se estava sentindo o mesmo que ele. Parecia distraída, olhando para a casa. Quando o motorista passou pelos portões, ela se virou para trás.

Receoso de que Shantelle estivesse pensando novamente na barreira que o nome Martinez poderia significar entre eles, Luís procurou-lhe a mão e apertou-a.

Ela fitou-o, mas parecia tão distante que Luís sentiu o receio aumentar.

— Nunca tivemos nenhuma tragédia em minha família — disse inesperadamente. — Eu não havia entendido. Foi difícil para todos, mas esta noite serviu acima de tudo para esclarecer o problema. Provou o quanto todos se enganam com as aparências.

— De que problema você está falando? — Luís quis saber.

— Da rejeição de sua mãe por mim. Eu a atribuí a sua arrogância. Mas o motivo era muito mais sério.

— Envolvia poder — Luís explicou.

— Sim. E a esse respeito, acredita que haverá retaliação por parte da família Gallardo?

— Não, não creio. Mesmo que tentem, nosso império não é vulnerável a ataques. Talvez alguns acordos sejam desfeitos e acarretem prejuízos. Mas, de modo geral, não correremos nenhum risco de falência.

Satisfeita com o que ouviu, Shantelle olhou para as mãos que repousavam em seu colo. A esmeralda e os diamantes brilhavam, maravilhosos.

Luís ficou novamente inquieto. O que ela estaria pensando? Em devolver o anel, talvez?

— Eu pensei... ontem à noite, que havia acabado tudo entre nós — Shantelle disse com um fio de voz.

Luís pestanejou. Se pudesse, faria o relógio voltar no tempo para consertar o pior erro que cometera em sua vida. Fora movido pela amargura e pela frustração. Recusara-se a ouvi-la. Se Shantelle não o quisesse mais, não a culparia.

O impulso de tomá-la nos braços tornou-se quase irresistível. Palavras não adiantariam. Ele precisava mostrar a ela, fazer com que sentisse todo seu amor.

— Olhe para mim, por favor.

Ela atendeu.

— Eu detestei você ontem à noite, Shantelle. Detestei-a por ter me deixado durante dois longos anos. Continuo querendo-a como antes. Mais ainda, se possível. Faria qualquer coisa para tê-la de volta.

O carro parou.

Luís não pôde esperar nem sequer mais um segundo. Saltou do carro e abriu-lhe a porta antes que o motorista tivesse tempo de estender a mão para o trinco. E em vez de ajudá-la a descer, pegou-a no colo.

— Não diga não! — suplicou.

Estavam chegando à porta do apartamento quando Luís sentiu o hálito morno de Shantelle em sua orelha.

— Hoje eu poderei tocá-lo?

Ele mal podia acreditar em tamanha felicidade. Estava tão afobado para entrar no apartamento que não conseguia encontrar a chave no bolso. Shantelle começou a rir. Ele não imitou-a. Estava sem fôlego.

Por fim, encontrou a chave e introduziu-a na fechadura. Faltava pouco!

— Agora solte-me, Luís.

— Já irei soltá-la — ele prometeu a caminho do quarto.

— Não quero que me coloque na cama — ela protestou.

— Não?

— Coloque-me no chão.

Não era o que ele queria, mas não ousou desobedecer.

— Não quero que estrague meu vestido.

— Eu lhe compro outro.

— Este tem um valor sentimental. Por favor, acenda a luz.

Luís estava aturdido. Mal conseguia raciocinar. Acendeu a luz e viu-a sorrindo para ele.

— É minha vez de despi-lo.

A tensão se dissipou. Ele estava explodindo de felicidade. Estava tudo bem. Como sempre deveria ter sido entre eles.

— Que tal fazermos isso juntos? — propôs. — Uma peça de cada um. Minha gravata, seu colar, meu paletó, seu vestido. Será mais rápido e mais interessante.

Havia um brilho malicioso nos olhos verdes de Shantelle.

— Não quero que seja rápido. Quero saborear cada segundo.

Faltava apenas o principal. Ele queria ouvir uma declaração.

— Você ainda me ama, não? — Foi mais uma afirmação do que uma pergunta. Não havia dúvidas. O modo que Shantelle o tocava e fitava já era uma declaração de amor.

— Parece que terei de viver com você na alegria e na tristeza — ela estava respondendo, mas Luís a interrompeu.

— Quero ouvir as palavras.

Ela terminou de tirar a gravata e enlaçou-o pelo pescoço.

— Eu te amo, Luís Angel Martinez. Nunca houve outro homem para mim. E nunca haverá.

Beijaram-se. Não uma, mas uma infinidade de vezes, an-
ᵒsos por afastar todas as sombras que nunca deveriam
ᵗentado apagar aquele amor.

Ele era lindo, fascinante. Sentir Luís em seu corpo ine-briava-a. Estavam juntos, amando-se, como ela sonhara fazer na noite anterior. Dando e recebendo. A excitação era mútua. Não se resumiu às sensações físicas. O prazer e o êxtase alcançavam o coração, a mente e a alma.

Foi incrivelmente especial. As necessidades e os desejos, as esperanças e os sonhos que haviam ficado guardados durante dois anos foram liberados com tanta intensidade que eles se sentiram no paraíso.

O momento final, quando Luís a penetrou, foi mágico. Ela o abraçou com as pernas para acompanhá-lo nos movimentos que celebrariam a vida em conjunto que teriam no futuro. Estavam livres agora para se entregarem um ao outro. Para sempre.

Não foi possível continuar pensando. Apenas sentir. Ondas se preparavam para cobri-los em um sublime clímax.

— Obrigado — Luís murmurou com a voz embargada de emoção. — Obrigado por voltar para mim e me amar.

— Nós sempre pertencemos um ao outro — Shantelle respondeu. — Eu não me senti viva por inteiro em nenhum momento nesses dois últimos anos.

— Também não consegui viver sem você — ele confessou.

— Nunca mais nos separaremos. Se quiser continuar morando na Austrália, eu...

— Claro que não, Luís! Sua vida é aqui. Eu serei feliz aqui com você. — Além disso, ela havia prometido a Elvira Rosa Martinez que não lhe roubaria o filho. Ela já havia sofrido muito com a perda de Eduardo.

— E sua família?

Shantelle hesitou. Preferiria que eles morassem mais perto, mas sabia que não seria possível. Por outro lado, de avião, a distância era de um dia.

— Nós a visitaremos sempre que for possível, não?

— Sempre que você quiser, meu amor. Aliás, eu preciso fazer isso o quanto antes. Estou ansioso por conhecer seus pais e pedi-la formalmente em casamento.

Ela sorriu.

— Quando será isso?

— Bem, como dei minha palavra de que a colocaria no avião pela manhã, estou fazendo planos para segui-la em uma semana. Você terá tempo para prepará-los e eu para garantir que você será bem acolhida quando voltar comigo.

— Então, você estará indo me buscar, não é?

Um sorriso iluminou o rosto de Luís.

— Posso ficar sem você por uma semana. Não mais.

Um beijo os calou. E outros se seguiram. Quase não havia mais tempo. Precisavam aproveitar cada minuto.

Encontraram-se com Alan e os excursionistas no aeroporto na hora marcada. Alan não precisou perguntar para saber que sua irmã e seu amigo haviam se acertado.

Compreensivo, não pediu que ela o ajudasse. Deixou-a para que se despedisse de Luís. Eles haviam lhe contado sobre o noivado e lhe mostrado o anel de esmeralda e diamantes. E ele acreditava que o amor daqueles dois seria tão duradouro quanto aquelas pedras preciosas.

— Boa viagem — Luís murmurou.

— Estarei esperando-o no aeroporto de Sídnei daqui a uma semana — Shantelle prometeu.

— Ligarei todos os dias.

Ela fez um movimento afirmativo com a cabeça. Precisava ir. Trocaram um último beijo e ela correu para junto dos outros. Estava rindo. Em breve estaria voltando para a Argentina, para o amor de sua vida.

CAPÍTULO XIX

— Eu os declaro marido e mulher.

Até que enfim, Luís pensou, eufórico. O compromisso estava selado. Esperara três meses por esse dia. Contara cada minuto para ter certeza de que nada impediria que Shantelle se tornasse realmente sua mulher. Agora podia respirar tranqüilo. Shantelle e ele estavam unidos pelo matrimônio, sob os olhos da Lei e de Deus. O futuro estava assegurado.

Ergueu delicadamente o véu que cobria o rosto da noiva. Os lindos olhos verdes de Shantelle estavam marejados, do mesmo modo que os vira no momento que a pedira em casamento diante daquelas mesmas pessoas que lotavam a igreja.

Eram lágrimas de amor, de emoção e de felicidade.

— Pode beijar a noiva.

Ele abraçou-a e beijou-a. Marido e mulher. Eram um só a partir daquele momento. Estavam livres para viver a glória do amor pelo resto de seus dias.

— Eu te amo — ele sussurrou junto aos lábios de Shantelle.

— Eu te amo, Luís.

— Agora você também é uma Martinez — ele disse com um sorriso. — Está pronta para sua nova vida como minha esposa?

— Estou. Sempre estarei.

Aquelas palavras o embalaram como se fosse uma doce canção de ninar. Shantelle estava a seu lado, confiante. Sempre estaria. Ela o amava e lhe seria fiel. Assim como ele. Ambos haviam aprendido a lição. O fator mais importante em uma relação era a honestidade.

Aquele era o verdadeiro início de suas vidas em comum.

Percorreram a igreja de braço dado, seguidos por Alan e sua esposa, Vicky, e por Patrício e a jovem prima deles, Maria.

A mãe estava de pé, elegante e imponente, no primeiro banco. Ele ainda não havia conseguido perdoá-la de todo por tê-lo afastado de Shantelle por dois anos. Mas sorriu e fitou-a, disposto a esquecer o passado.

Ela retribuiu o sorriso. Queria a felicidade do filho. Aprendera a reconhecer que havia um poder além de seu alcance. Algo que o dinheiro e a influência não podia comprar.

O amor.

Luís esperava que a mãe nunca se esquecesse dessa verdade. No momento, porém, aquilo era irrelevante. Ele e Shantelle estavam casados. Irrevogavelmente. Se surgissem problemas, eles os resolveriam. Se tivessem divergências de opiniões, conversariam a respeito. Nada mais poderia separá-los.

Os pais de Shantelle estavam de pé também. Eles haviam dado suas bênçãos ao casal sem reservas. Sabiam o quanto a filha amava aquele homem. Esperavam apenas que ele retribuísse seus sentimentos.

A organista estava tocando uma linda marcha. Luís apertou a mão de Shantelle com o braço. Estava orgulhoso e exultante ao levá-la para a vida que criariam só para eles.

O futuro seria brilhante, Luís pensou, enquanto olhava para Shantelle que distribuía sorrisos aos convidados. Ela era fascinante. Encantava a todos. Como o encantara.

Com ela não haveria escuridão.

Ela era o sol, a lua e as estrelas.

Shantelle... sua esposa.

EMMA DARCY adora escrever histórias de amor. Ela já perdeu a conta de quantas heroínas já criou, mas se lembra de todos os finais felizes. Ela espera que você tenha gostado deste livro tanto quanto ela.

Julia

Paixões 🌶️ *Picantes*

Ponha mais tempero em sua vida!
Paixão, êxtase, encontros
arrebatadores.
Você vai se apaixonar por
esta série.

**Viva um
encontro
picante!**

**TODOS
OS MESES
NAS
~~ICAS~~**

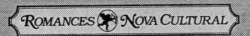

PARTICIPE DESTA
PROMOÇÃO

"UMA HISTÓRIA DE AMOR QUE VALE OURO"

Envie sua história de amor e ganhe prêmios!

...mo participar na próxima página!

"PROMOÇÃO ROMANCES NOVA CULTURAL"

Regulamento:

Para participar, a leitora deverá enviar uma história de amor juntamente com seus dados pessoais (nome, idade, CPF, endereço completo, telefone para contato) para a Promoção Romances Nova Cultural, Rua Paes Leme, 524, 10º andar, CEP: 05424-010, São Paulo, SP.

- Conte sua história de amor em 50 (cinqüenta) linhas, datilografadas. Dê um título para sua história de amor e dê asas a sua imaginação! Não aceitaremos textos escritos a mão.
- As cartas enviadas sem alguma das informações solicitadas serão desconsideradas.
- Os participantes desta promoção cedem definitivamente à Editora Nova Cultural Ltda. os direitos autorais patrimoniais das histórias enviadas, sem que isto acarrete em ônus de quaisquer espécies para a Editora.
- A comissão julgadora levará em conta originalidade e criatividade das histórias, e sua decisão será soberana e irrevogável.
- Serão selecionadas as 30 (trinta) melhores histórias da promoção.
- O 1º lugar ganhará um pingente de ouro 18K, em forma de cupido, o símbolo dos Romances Nova Cultural, acompanhado de uma corrente de ouro 18K. Os 2º e 3º lugares ganharão uma assinatura semestral de uma série de sua escolha (Julia, Sabrina, Bianca, Clássicos Históricos ou Momentos Íntimos) e uma camiseta Romances Nova Cultural. Do 3º ao 30º lugares ganharão uma camiseta dos Romances Nova Cultural.
- As vencedoras serão comunicadas do resultado da promoção no mês de setembro por telefonema ou telegrama, quando serão informados o local e a data do recebimento do prêmio.
- O prazo de recebimento das histórias se encerra em 26/7/99, sendo considerada a data de postagem no Correio.
- Não será permitida a participação de funcionários e familiares da Editora Nova Cultural.

Uma História de Amor que Vale Ouro é uma promoção de cunho artístico, aberta a todas as pessoas residentes em território nacional, sem qualquer modalidade de sorte ou pagamento pelos participantes nem vinculação destes à aquisição ou uso de qualquer bem, direito ou serviço, de acordo com a Lei 5.768/**71**, e o **artigo 30** do decreto 70.951/**72**.

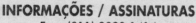

MAIS UMA
NOITE...

Querida leitora,

Existe coisa mais gostosa que chantagem de amor? Bem, a gente sabe que é chantagem, e sabe por que a pessoa está tendo este tipo de comportamento. E, embora nos façamos de desentendidas, sabemos exatamente aonde queremos chegar, não é mesmo?

Então, delicie-se com esta chantagem: Mais uma Noite...

Janice Florido
Editora Executiva